WIENAND^S KLEINE REIHE DER KÜNSTLERBIOGRAFIEN

WEITERE TITEL:

OTTO DIX
MAX ERNST
CASPAR DAVID FRIEDRICH
ERNST LUDWIG KIRCHNER
GUSTAV KLIMT
KÄTHE KOLLWITZ
WILHELM LEHMBRUCK
MAX LIEBERMANN
AUGUST MACKE
PAULA MODERSOHN-BECKER
AMEDEO MODIGLIANI
EDVARD MUNCH
GABRIELE MÜNTER
EMIL NOLDE
CHRISTIAN SCHAD
EGON SCHIELE
MAX SLEVOGT
FRIEDRICH VORDEMBERGE-GILDEWART
MARIANNE VON WEREFKIN

Roman Zieglgänsberger

ALEXEJ JAWLENSKY

Wienand

Inhalt

Ich bekenne Ihnen Bewunderung für das Werk, das Sie in all den Jahren geschaffen haben, das mit den starken, blutvollen Farben beginnt und das Sie zu den stillen, vergeistigten Bildern gebracht hat, die ich als wahrhaft moderne Heiligenbilder bezeichnen möchte. Es will mir scheinen, daß in diesen ein alter Ikonenmaler Ihres Volkes wieder lebendig geworden ist – so echt und gläubig und versunken, wie es nirgends heute etwas Ähnliches gibt.

Karl Schmidt-Rottluff an Alexej von Jawlensky, 1934

Wer bin ich?

Wer bin ich? Oder besser noch, wer bin ich geworden? Derartige Fragen dürften Alexej von Jawlensky (1864–1941) durch den Kopf gegangen sein, als er im Jahr 1912 sein letztes Selbstbildnis vor dem Ersten Weltkrieg malt und damit Bilanz zieht.

Streng wirkt er und sehr russisch – aber nicht nur. Denn es scheint ihm im nächsten Moment auch noch der Kragen zu platzen. Fast fühlt man sich als Betrachter von dem Künstler gemaßregelt: Die Stirn in Falten, blickt er scharf und streng aus dem Bild, als ob er sich von uns gestört fühlte. Aber macht man sich die Situation bewusst, in der das Gemälde entstanden ist, wird sogleich klar, dass der Maler sich gar nicht an uns wendet, sondern an sich selbst: Er ist streng mit sich. Er prüft vor der Staffelei das Bild, das vor seinen Augen soeben

Selbstbildnis, 1912, Öl auf Karton, 48,5 × 43,5 cm

im Begriff ist zu entstehen. Damit überprüft er sich und sein Tun: Bin das wirklich ich? Und wenn ja, was wird aus mir werden? All dies geht aus diesem großartigen Selbstbildnis hervor, dessen quadratisches Format der mächtige Kopf Jawlenskys regelrecht zum ‚Bersten' zu bringen scheint – so kraftvoll wirkt dieses Porträt.

Er ist es, Alexej von Jawlensky, unverkennbar. Und seine bohrenden Fragen sind tatsächlich berechtigt, denn der Künstler hat ja eine rasante Entwicklung durchgemacht. Das weiß er selbst am besten, und deshalb ist es umso wichtiger, dass er sich und seine Malerei mit kritischem ‚Augenblick' hinterfragt. Er hat Ende des 19. Jahrhunderts den russischen Realismus hinter sich gelassen, ist Anfang des 20. Jahrhunderts durch Impressionismus, Pointillismus und **Sezessionismus*** hindurchgegangen und schließlich zwischen 1908 und 1910 – in intensiver Auseinandersetzung mit den aktuellen französischen Tendenzen – zu einer der bedeutendsten Malerpersönlichkeiten des Expressionismus geworden.

In seinem Selbstbild wird er sogar noch präziser. Er präsentiert sich darin als ein ebenso selbstkritischer wie selbstbewusster Maler, der zu Beginn der Moderne einen wesentlichen Beitrag im Vorfeld des Blauen Reiters geleistet hat. Darüber hinaus reflektiert er seine künstle-

---

* **SEZESSIONISMUS** *Unter dem Begriff „Sezession" (ital. „Abspaltung") versteht man die kurz vor 1900 entstandenen Künstlergruppierungen, deren Mitglieder sich gegen die akademische Salonkunst auflehnten. Dies taten sie, um selbst bessere Ausstellungsmöglichkeiten und Chancen auf dem Kunstmarkt zu haben. Erstmals wurde 1892 eine Sezession in München unter anderem von Franz Stuck (1863–1928) gegründet, dann 1897 von Gustav Klimt (1834–1892) in Wien, 1898 von Max Liebermann (1847–1935) in Berlin. Bald folgten weitere Gründungen in ganz Deutschland. Diese wiederum wurden ab etwa 1911 von neuen Sezessionen abgelöst.*

rische Vorgehensweise. Denn Jawlensky beobachtet genau genommen, wie der Künstler seine Farben mit vibrierendem Pinsel von der Palette auf sein eigenes Gesicht überträgt. Damit setzt er sein Antlitz mit der Palette des Künstlers gleich. Der Maler besteht demnach aus den von ihm verwendeten ungemischten Farben, sein Kopf ist ihm gleichermaßen zur Palette geworden. Nicht nur Paul Klee, der 1914 auf der berühmten Tunisreise mit August Macke über seine Entdeckung der Farbe befreit in sein Tagebuch schreibt: „Die Farbe hat mich [...] Sie hat mich für immer [...] ich und die Farbe sind eins", sondern auch Jawlensky ist, wie wir ganz deutlich an seinem Selbstporträt sehen können, bereits zwei Jahre zuvor eins geworden mit seinen Farben. Entscheidend ist, dass er sich bewusst ist, beim Akt des Malens keinen Moment lang allein dem schwärmerischen Gefühl freien Lauf lassen zu dürfen, sondern – bei aller notwendigen Begeisterung und allem Temperament – auch an sich halten und sich beherrschen zu müssen. Der Kragen scheint dem Künstler eben nur *fast* zu platzen. Der Druck muss aufrechterhalten bleiben, aber man darf ihm nicht nachgeben. Diese Erkenntnis schützt den Maler sein Leben lang vor einem Abgleiten in esoterische Gefilde, wo Kunst nichts zu suchen hat. Der Grat, auf dem er wandelt, ist hier besonders schmal. Vor allem, wenn man der Moderne die mittelalterliche Ikone zurückgeben will, wie dies Jawlensky in der Folge zweifellos getan hat.

Einerseits reflektiert der Maler also in diesem Selbstbildnis die künstlerischen Erkenntnisse der jüngsten Vergangenheit und präsentiert sich gleichsam als meisterlicher Dompteur der Farbe. Andererseits deutet sein Selbstbild thematisch bereits in die Zukunft: Der Kopf wird es in der Folge sein, der ab dem Ersten Weltkrieg im Zentrum seines Schaffens steht. Das von ihm in die Moderne hineingerettete, göttlich wirkende Antlitz geht nämlich ab etwa 1915 in Serie und berührt nicht nur Hollywood, sondern treibt die gesamte Welt der Kunst an und um – und das, wie sich zeigen wird, bis heute.

Von Moskau nach Sankt Petersburg oder die Verwandlung vom Offizier zum Künstler

Familie Jawlensky im Jahre 1871; rechts auf dem Boden der siebenjährige Alexej von Jawlensky

Ich lernte, lernte, denn ich wollte einer von den besten Schülern werden, um eine gute Prüfung zu machen und um später als Offizier in Moskau bleiben zu können, statt wie die schlechten in irgendeine Provinzstadt geschickt zu werden. Das alles nur, um Malerei studieren zu können.

Alexej von Jawlensky in seinen *Lebenserinnerungen*, 1937

Doch langsam, eins nach dem anderen. Jawlensky ist ja zunächst nicht einmal der Weg des Künstlers vorherbestimmt. Da er aus einer alteingesessenen Offiziersfamilie stammt, ist für ihn traditionsgemäß eine militärische Laufbahn vorgesehen. Sein Vater Georgi Nikiforowitsch von Jawlensky ist Oberst und gehört dem russischen Erbadel des Rjasanskoj Gouvernments an, weshalb es außer Diskussion steht, dass auch Alexej wie seine vier Brüder diese Karriere einschlagen wird.

MOSKAU – AUS SAULUS WIRD PAULUS

Geboren wird Alexej von Jawlensky als drittältester Sohn der Familie im Jahr 1864 in der etwa 260 Kilometer nordwestlich von Moskau gelegenen Kleinstadt Torschok im Gouvernement Twer. Sein exakter Geburtstag wird heute mit zwei Daten geführt – der 13. März nach dem julianischen Kalender und der 26. März nach dem gregorianischen. Nach dem Gymnasium tritt er im Jahr 1881 in die Kadettenschule des Zweiten Moskauer Kadettenkorps ein, wo er bereits einen ersten Zeichenunterricht erhält, der ihm zunächst jedoch nur lästig ist. In seinen *Lebenserinnerungen* berichtet Jawlensky, dass ihm dann aber durch den Besuch der *Allrussischen Industrie- und Kunstausstellung* von 1882 in Moskau die Kunst mit einem Schlag zum einzigen Lebensinhalt wird. Um sein plötzliches ‚Erweckungserlebnis' für uns nachvollziehbar zu machen, setzt er hinzu, dass ihm die Ausstellung – für einen 18-jährigen tatkräftigen Mann ja durchaus verständlich – zunächst äußerst langweilig erscheint. Doch als Jawlensky „in eine Abteilung mit Kunst kam", fährt er begeistert in seinen *Lebenserinnerungen* folgendermaßen fort: „[...] es war das erstemal in meinem Leben, daß ich Bilder sah" und „bekam [...] eine so große Erschütterung in meine Seele, aus Saulus war Paulus geworden. Das war der Wendepunkt in meinem Leben. Seitdem war die Kunst mein Ideal, das Heiligste, nach dem sich meine Seele, mein ganzes Ich sehnte." Das Ziel, Malerei zu studieren und die militärische Laufbahn aufzugeben, scheint für Jawlensky jedoch zunächst in weite Ferne gerückt, als sein Vater noch im gleichen Jahr stirbt. Er hätte ihm diesen Weg, wie der angehende Offizier insgeheim gehofft hat, durch seine finanzielle Unterstützung vielleicht ermöglichen können. Aber wer weiß, ob der gestrenge Vater die ‚abwegige' Idee seines Sohnes, den ‚Weg' eines Künstlers einzuschlagen, überhaupt begrüßt hätte? Wohl eher nicht. Bislang unbeachtet ist jedenfalls der Umstand, dass der 18-jährige Jawlensky in dem Moment die Kunst für sich entdeckt, als fast gleichzeitig sein

Das größte Erlebnis während meiner Militärschulzeit blieb jedoch immer an Sonntagen und Feiertagen der Besuch der Tretjakoff-Galerie [...]

Alexej von Jawlensky in seinen *Lebenserinnerungen*, 1937

traditionsbewusster Vater stirbt. Nun ist für Jawlensky eine Karriere als Maler nicht nur denkbar, sondern er verfolgt sie ernsthaft und realisiert sie Schritt für Schritt. So will Jawlensky nicht nur zu den besten seiner Kadettenschule gehören, um später als Offizier in der Kunstmetropole Moskau verbleiben zu dürfen, sondern er besucht von da an bei jeder sich bietenden Gelegenheit wie ein ‚Besessener' alle Ausstellungen und geht immer wieder zu den großen russischen Meistern in die Tretjakow-Galerie. Diese Meister ersetzen ihm, wie er uns wissen lässt, als ‚Gegen-Tempel' der Kunst den sonntäglichen Gottesdienst. Extra erwähnt werden muss bei einem derartig ehrgeizigen Ziel eigentlich nicht, dass Jawlensky als Kadett fortwährend zeichnet und Fortschritte erzielt, wovon nicht nur er selbst berichtet, sondern was ihm auch von anderer Seite aus bestätigt wird: „Als ich im August [nach der ‚Erweckung' auf der Kunstausstellung] wieder [...] zum Kadettencorps zurückkehrte, wurde mein Interesse an der Zeichenstunde ganz anders als vorher. Früher hatte ich kein Interesse daran. Ich hatte mich gelangweilt und schlecht gezeichnet. Jetzt tat ich das Gegenteil. Mein Eifer war so groß, daß der Zeichenlehrer [...] zu mir sagte: ‚Was ist mit Dir geschehen? Du hast früher so schlecht gezeichnet, und jetzt geht es viel besser mit dir.' Meine Zeichnungen wurden immer besser und besser, so daß sie als Vorbild unter Glas und Rahmen in die Zeichenklasse gehängt wurden."

Von den vielen Kopien, die Jawlensky außerhalb des Zeichenunterrichts in seiner Freizeit in der Tretjakow-Galerie anfertigt, sind leider keine erhalten. Explizit erwähnt Jawlensky den Künstler Wassili Wereschtschagin (1842–1904), den er dort möglicherweise deshalb eingehend studiert, weil dieser ein Kriegsmaler ist und er in ihm beides vereint sieht, was sein eigenes Leben zu diesem Zeitpunkt ausmacht: Militär und Malerei. Denkbar ist aber auch, dass er gerade Wereschtschagin in seinen *Lebenserinnerungen* hervorhebt, weil dieser einen für Jawlensky vorbildlichen Werdegang aufweist. Denn er geht 1860, nachdem er als Jugendlicher die Marineschule absolviert hat, in Sankt Petersburg nicht nur auf die Kunstakademie, sondern flieht sie drei Jahre später wieder, als er ihres starren Ausbildungskonzepts überdrüssig wird. Beides tut auch Jawlensky: Er wird in Sankt Petersburg Kunst studieren und aus denselben Gründen wie Wereschtschagin die Akademie ohne Abschluss wieder verlassen – nur etwa eine Generation später.

SANKT PETERSBURG – ZWISCHEN MILITÄR UND KUNSTAKADEMIE

„Da meine Neigung zur Kunst immer mehr wuchs", berichtet Jawlensky, „und ich unbedingt Künstler werden wollte, aber in Moskau die Kunstschule als Offizier nicht besuchen konnte, während es in Petersburg Fälle gab, in denen man Offizieren erlaubte, die Kunstschule zu besuchen, und sie vom Dienst dispensierte, versuchte ich, mich nach Petersburg versetzen zu lassen." Bevor dies Jawlensky aber 1889/90 endlich gelingt, bereitet er sich noch in Moskau – immer neben seinem militärischen Dienst an der Alexander-Militärlehranstalt – akribisch auf die Aufnahmeprüfung der Petersburger Kunstakademie vor. Noch in Moskau macht er Bekanntschaften, die seine Sinne in Bezug auf alles Künstlerische zu schärfen vermögen. Er erwähnt einen heute nicht weiter bekannten „sehr alten Maler Katalkoff", bei dem er sogar ein Zimmer nimmt, hört die berühmte letzte Tournee des Pianisten Anton Griorjewitsch Rubinstein mit seinen *Historischen Konzerten*, die ihn außerordentlich beeindrucken, oder hat Kontakt zur alteingesessenen Moskauer Familie Botkin, die eine umfangreiche Sammlung von byzantinischer, chinesischer, russischer und französischer Kunst ihr eigen nennt.

Alexej von Jawlensky in Uniform, 1887

Über den Umweg Kronstadt kommt er schließlich nach Sankt Petersburg in das Zweite Festungs-Infanterie-Bataillon. Der Leutnant Jawlensky ist inzwischen aber auch als Maler so befähigt, dass er sogleich die Aufnahmeprüfung an der dortigen Akademie der bildenden Künste besteht. Endlich ist der erste Schritt geschafft, er ist nun offiziell beides: Offizier und Künstler. Allerdings gleicht dieses Leben immer noch einem Spagat. Was der nächste Schritt sein soll, liegt auf der Hand, und das hat mit dem Militär nur mehr wenig zu tun. An der Akademie durchläuft er jedenfalls die klassischen Ausbildungsstufen, von der Kopfklasse über die Figurenklasse zur Landschaftsklasse, übt das Komponieren und das sinnvolle Zusammensetzen von Figurengruppen. Das alles zur Vorbereitung auf die höchste Disziplin, die Historienmalerei – die Darstellung biblischer, mythologischer und geschichtlicher Themen in repräsentativem Format –, die jeder Absolvent der Kunstschule mustergültig beherrschen soll. Einer seiner Professoren ist Wassily Mathé, den er sehr geschätzt haben muss, da er ihn in einem Porträt bei der Arbeit festhält.

Sie haben Talent, Sie sehen breit ohne nicht notwendige Details. Sie müssen weg vom Militär.

Ein Akademielehrer in Sankt Petersburg zu Alexej von Jawlensky

Aus dieser für den angehenden Künstler hoch spannenden Phase der Doppelbelastung stammt das früheste überlieferte, kleine intime Interieurbild, welches sogleich offenbart, dass es nie Jawlenskys Anliegen gewesen sein kann, repräsentative Historienmalerei zu betreiben. Die Arbeit ist auf 1890 datiert und zeigt, wie es sich für ein erstes Bild gehört, die Mutter des Künstlers (Abb. rechts). Aber worum geht es in dem Werk wirklich? Geht es in dem Gemälde wirklich darum, wie Jawlenskys Mutter in der hinteren Raumecke sitzt, damit das Tageslicht, das links vom Fenster hereinfällt, direkt auf ihr Häkelwerk scheint und keine störenden Schatten geworfen werden? Obwohl

Die Mutter des Künstlers, 1890, Öl auf Leinwand, 24 × 18 cm

man die heimelige Arbeitssituation durch die Zurückgezogenheit der Mutter, ihr andächtiges Tun und die generelle Dunkelheit des Raums aus dem Bild herauslesen kann, sind es doch die Farben und ihre impulsive malerische Zusammenstellung, die Jawlensky in den Vordergrund stellt. Im unteren Bildbereich sind Flakons, Körbe oder derlei Dinge mit freiem Pinselstrich und lockeren Farbflecken lediglich angedeutet; sie finden ihre Komplementärfarben in dem runden Tisch, an dem die Mutter arbeitet – etwa der inhaltlich kaum zu erklärende freche grüne Strich unten rechts, der farbkompositorisch natürlich zu dem fast direkt darüber befindlichen roten Wollballen gehört.

Detailversessenheit ist Jawlenskys Sache nicht und auch nicht die ‚große' Komposition – beides Hauptfächer der Akademie. Sein Interesse gilt schon früh allein dem Malvorgang und den Farben – etwas, was er an Ilya Repin (1844–1930) geschätzt haben dürfte. Diesem berühmten russischen Historienmaler mit seinen monumentalen Bilderzählungen, der aber zugleich auch durch und durch Maler war, alle Bildgegenstände mit dem Pinsel temperamentvoll durchdrang und ihnen damit Leben einhauchte. Zu Repin kommt Jawlensky Anfang der 1890er-Jahre. Auf die Idee, sich an den führenden Maler der berühmten, nicht nur in Russland sagenumwobenen Künstlergruppe der **Peredwischniki*** zu wenden, bringt ihn, wie Jawlensky selbst berichtet, sein Fachprofessor für Ästhetik: „Einmal sprach ich mit Professor Sacchetti über Kunst und auch über mich, und er gab mir den Rat, zu Rjepin zu gehen, und gab mir ein Empfehlungsbrief an unseren großen russischen Maler Ilja Rjepin mit. [...] Rjepin empfing mich sehr liebenswürdig und sah mit Interesse meine Arbeiten, lobte sie, und ich erzählte ihm über meine Unzufriedenheit mit der Art, wie an der Akademie gelehrt wurde. [...] Ich sah in seinem Atelier viele seiner Arbeiten und war ganz begeistert."

Daraufhin darf er sogar an dessen stets mittwochs stattfindenden Künstlertreffen teilnehmen, wo er mit Ivan Schischkin, Konstantin Korowin, Archip Kuindschi, Wassili Surikow und Walentin Serow die Crème de la Crème der russischen Maler des ausgehenden 19. Jahrhunderts zusammentrifft. Bereits in diesem Kreis soll der französische Impressionismus (entwickelt um 1874 in Paris) um Édouard Manet, Claude Monet oder Alfred Sisley ein nicht unumstrittenes Thema gewesen sein, ohne dass man freilich originale Werke der Künstler hätte besprechen können.

---

* **PEREDWISCHNIKI** *Die Vereinigung der Peredwischniki (russ. „Wanderer") war eine der bedeutendsten russischen Künstlerbewegungen des 19. Jahrhunderts. 1870 in Sankt Petersburg gegründet, war ihr Name Programm: Die Maler schickten ihre aufklärerischen Werke in zahllosen Wanderausstellungen bis in die entlegensten Winkel des Reichs. In ihren Bildern schilderten sie realistisch-ungeschönt, immer aber mitfühlend die Armut der Landbevölkerung oder die Problematik der Arbeitersklaven. Ilja Repin (1844–1930), der spätere Lehrer Jawlenskys, gilt als einer ihrer bedeutendsten Vertreter.*

Alexej von Jawlensky und Marianne von Werefkin, um 1893

ZWEI ,LEBENSMENSCHEN' TAUCHEN AUF

Sehr bald macht Jawlensky über Repin eine Bekanntschaft, die die nächsten gut 25 Jahre bis kurz nach dem Ersten Weltkrieg für sein Leben bedeutsam sein soll: Es handelt sich um die vier Jahre ältere Malerin Marianne von Werefkin (1860–1938). Sie lernen sich bei einem gemeinsamen Besuch von Repin und Jawlensky auf der Peter- und Pauls-Festung in Sankt Petersburg kennen, wo sie bei ihrem Vater Wladmir von Werefkin, dem vermögenden Kommandanten der militärischen Anlage, lebt. Zu diesem Zeitpunkt ist die Malerin bereits als „russischer Rembrandt" im Land bekannt. Ihren Erfolg in Russland verdankt sie vor allem der Kunst Repins, mit dem sie schon seit den 1880er-Jahren bekannt ist. Wie vertraut das Verhältnis der drei Maler bald darauf ist, wird darin deutlich, dass Repin während einer längeren Auslandsreise Jawlensky und Werefkin sogar sein eigenes Atelier für mehrere Monate zur Verfügung stellt.

Die Bekanntschaft sollte mein Leben ändern. Ich wurde der Freund von ihr, von dieser klugen, genial begabten Frau.

Alexej von Jawlensky über Marianne von Werefkin in seinen *Lebenserinnerungen*, 1937

Wie viel Jawlensky wiederum der Mensch Werefkin bedeutet, erzählt er einfühlsam in seinen *Lebenserinnerungen*: „Rjepin nahm mich eines Tages mit zu seiner Schülerin Marianne Werefkin [...]. Die Bekanntschaft sollte mein Leben ändern. Ich wurde der Freund von ihr, von dieser klugen, genial begabten Frau." Und dann berichtet Jawlensky weiter, dass er gemeinsam mit ihr sowohl auf der von ihrem Vater geleiteten Festung in Sankt Petersburg als auch auf deren Familiengut Blagodat im Gouvernement Kowno arbeitet, wo er erstmals Helene Nesnakomoff (1881–1965) begegnet. Sie ist Marianne von Werefkin anvertraut und wird im Herbst 1896 zu ihrer „persönlichen Bedienung" nach München mitgenommen. Helene Nesnakomoff wird später Jawlenskys Ehefrau und damit der zweite wichtige ‚Lebensmensch' für den Maler.

In Petersburg erhält Jawlensky den Rat eines Akademieprofessors, den Dienst zu quittieren und sich allein der Kunst zu widmen, weil er talentiert sei und zudem in der Lage, „breit" und also das Wesentliche zu sehen. Darüber hinaus aber wächst allmählich der allgemeine Unmut über die Lehrmethoden an der Petersburger Akademie, wo es bald, nachdem Jawlensky die Stadt verlassen hat, zu einem Aufstand der Studenten kommt. Spätestens im Jahr 1896 jedenfalls scheint Jawlensky zur Überzeugung gekommen zu sein, das ehrenwerte Amt eines kaiserlich-russischen Stabskapitäns niederlegen zu müssen, um endgültig und unumkehrbar freier Maler werden zu können. Plötzlich geht es Schlag auf Schlag: Er reicht am 28. März bei Zar Nikolai II. von Russland den Antrag zur Entlassung ein, am 23. April verlässt er offiziell die Akademie, und schon am 2. Juli darf er seine Uniform ablegen. Jawlensky erhält ab diesem Moment für seinen geleisteten Dienst bis zur russischen Oktoberrevolution 1917 eine Pension von 105 Goldrubel. Da Anfang 1896 auch Werefkins Vater verstirbt und sie mit einem üppigen Erbe ausgestattet wird, steht beiden nun gemeinsam die Welt offen.

Aufbruch nach München und die Verlockung Berlin

WARUM EIGENTLICH MÜNCHEN?

Ihre neue Lebenswelt wird München. Aber warum – wo es doch auch Paris hätte sein können? Sie entscheiden sich jedenfalls keineswegs blind für diese Stadt, denn noch im Sommer 1896 gehen Jawlensky und Werefkin mehrere Monate auf Europareise und machen Station in Dresden, Berlin, Köln, Antwerpen, London und Paris. Inzwischen haben sich ihre Künstlerfreunde Igor Grabar (1871–1960) und Dmitry Kardowsky (1866–1943) in München-Schwabing in der Giselastraße 25 niedergelassen, nur ein Haus weiter sollen Jawlensky und Werefkin einziehen. Vor allem Grabar, der Nachrichten von den prekären Zuständen der überlaufenen privaten Pariser Malschulen erhält, votiert gegen die französische Hauptstadt. Aber nicht allein der Umstand, dass sie im Zentrum Schwabings nun den Kern einer kleinen russischen Künstlergemeinde bilden würden, die sich mit dem hier von Werefkin eingerichteten „rosafarbenen Salon“ bald zum Treffpunkt schlechthin ausweiten sollte, gibt den Ausschlag für die bayerische Hauptstadt.

Und so kamen wir anfangs November 1896 nach München. Marianne Werefkin und ich fanden eine Wohnung [...] in der Giselastraße 23 [...]. In unserer Wohnung hatte ich ein großes Atelier. Ich fing jetzt an, selbständig zu arbeiten, zu suchen, um mich selbst zu finden.

Alexej von Jawlensky in seinen *Lebenserinnerungen*, 1937

Vom Dorf zum Künstlerviertel: München–Schwabing

Die Volkszählung im Jahr 1852 deckte etwas auf, was man mit dem klangvollen Namen des schillernden Künstlerviertels Schwabing heute nicht mehr verbindet. So war Schwabing, 44 Jahre bevor Jawlensky nach München kam, lediglich ein Dorf und noch nicht einmal ein großes. 1852 lebten hier kaum 1600 Menschen, die nächste Erhebung fand nach dem Deutsch-Französischen Krieg im Jahr 1871 statt. Es waren noch immer nicht mehr als 4000 Einwohner und kein Künstler weit und breit. Zudem lag es weit vor den Toren Münchens und an eine Eingemeindung war noch nicht zu denken. Doch es gab hier schon Firmen, die im Zuge der Industrialisierung schnell und schneller wuchsen. Eine große Lodenfabrik etwa oder der Dampfmaschinenhersteller Maffei ließen sich nieder. Im Zuge dieses Aufschwungs wurden mehrere Schul- und Krankenhäuser errichtet. Neben der großen Industrie zogen aufgrund dieser guten Infrastruktur immer mehr Handwerksbetriebe zu. München selbst wuchs ebenfalls nach allen Seiten und stieß bald im Norden auf Schwabing, das 1886 zur eigenständigen Stadt erhoben und 1890 schließlich eingemeindet wurde. Der neue günstige Wohnraum zog weitere Arbeiter an, aber auch Künstler und Intellektuelle.

Plötzlich waren sie alle da, im neuen Großstadtviertel Schwabing, nicht nur die Maler, auch die Dichter, Musiker und Tänzer. Männer wie Frauen. „München leuchtete", schreibt Thomas Mann (1875–1955) ein wenig ironisch in seiner Novelle *Gladius Dei* (1902), und wie recht er hatte – es waren fast der Guten zu viel. Der weltberühmte Schriftsteller schrieb hier den Jahrhundertroman *Die Buddenbrooks* (1901) und ließ Gustav von Aschenbach, die Hauptfigur seiner Erzählung *Tod in Venedig* (1912), die Ungererstraße hinauf zum Schwabinger Nordfriedhof schlendern, wo er seine erste Todesahnung hatte. Er und seine Kolle-

Blick auf den alten Schwabinger Dorfkern mit der Kirche St. Ursula, 1894

Postkarte – Giselastraße in München-Schwabing, um 1904

gen Frank Wedekind, Max Halbe, Graf Eduard von Keyserling und Joachim Ringelnatz trafen sich regelmäßig in der Künstlerkneipe *Simplicissimus.* Es lebten hier vorübergehend aber auch die Maler Lovis Corinth, Giorgio de Chirico sowie die talentierte Zeichnerin Käthe Kollwitz oder die Komponisten Max Reger und Thomas von Hartmann. Letzterer schrieb das Bühnenstück *Gelber Klang* zu Kandinskys Werken und war am Almanach *Der Blauen Reiter* beteiligt.

Der „rosafarbene Salon" der Marianne von Werefkin war nur ein Zirkel von vielen im Schwabing jener Jahre. Unter ihren Gästen befand sich die Szene-„Dame" Franziska zu Reventlow (1871–1918), die ein gutes Beispiel dafür ist, dass all diese Künstlerkreise untereinander bekannt waren. Reventlow nahm 1895 bei Anton Ažbe Unterricht, dann 1906 kurzzeitig bei Jawlensky. Sie selbst gehörte aber eigentlich zum Schwabinger Literatenkreis der Kosmiker um Stefan George, Karl Wolfskehl und Ludwig Klages. 1910 zog sich Reventlow nach Ascona zurück, wo Jawlensky sie im Frühjahr 1918 kurz vor ihrem Tod wiedergetroffen haben könnte. Dort verfasste sie den Roman *Herrn Dames Aufzeichnungen oder Begegnungen aus einem merkwürdigen Stadtteil* (1913). Darin entlarvte sie karikierend die Boheme des Künstlerviertels Schwabing, das im Roman „Wahnmoching" heißt.

Von links nach rechts: Igor Grabar, Alexej von Jawlensky und Dimitry Kardowsky im Atelier in München, um 1897

München liegt deutlich näher an Russland, das Jawlensky und Werefkin nicht aufgeben wollen und wohin sie immer wieder reisen werden, nicht nur aus familiären Gründen, sondern auch aufgrund von Ausstellungsbeteiligungen Jawlenskys. Überhaupt befindet sich München mitten in Europa, und von hier aus sind viele Orte – auch Paris – gut erreichbar. Die Stadt, die um 1900 etwa 400.000 Einwohner zählt, besitzt darüber hinaus alles andere als einen schlechten Ruf, was seine Kunstszene betrifft. Im Gegenteil: Es gibt mit dem Glaspalast ein für internationale Künstler attraktives Ausstellungsgebäude. Dann wird bereits 1892 (sechs Jahre vor Berlin!) die erste progressive Gegenbewegung zum arrivierten Kunstbetrieb ins Leben gerufen – die Münchner Sezession. Und just im Jahr 1896, in dem Jawlensky nach München kommt, werden hier die berüchtigten Satirezeitschriften *Simplicissimus* und *Jugend* gegründet. Daneben gibt es viele private Malschulen wie die des slowenischen Malers Anton Ažbe (1862–1905), wo sich Jawlensky, Grabar und Kardowsky sogleich gemeinsam anmelden.

> **Musatov ist aus Paris zurückgekehrt und [...] all das, was ich von ihm erfahren habe, bekräftigt meine ursprünglich gefasste Meinung: nach München zu reisen und dort zu bleiben.**

Igor Grabar an Dimitry Kardowsky (zwei enge Freunde Jawlenskys) im Mai 1896

Werefkin hingegen beschließt mit ihrer Ankunft in München, sich als Künstlerin zurückzuziehen, weil sie Jawlensky vor allem kunsttheoretisch fördern möchte. Dieser hingegen konzentriert sich laut seinen *Lebenserinnerungen* insbesondere auf die enge praktische Zusammenarbeit mit seinen beiden Kollegen Grabar und Kardowsky und hebt deren Sonderstellung in der Kunstschule des Slowenen Ažbe hervor, der wohl aufgrund seiner Herkunft vor allem osteuropäische Maler anzieht: „Wir drei bildeten in der Ažbeschule eine Partei für uns, hielten zusammen, arbeiteten sehr viel und unterhielten uns über die Kunst. Und das, was wir Neues hörten, versuchten wir in unsere Arbeit zu übertragen. Wir hörten zum erstenmal von großer Form und Linie. Aber wir nahmen alles mit Kritik auf. Und wir brachten in diese Schule einen frischen Wind. Wir waren sehr fleißig. Morgens um halb acht schellte Kardowsky an meiner Tür, und wir gingen dann zusammen in die Schule. Wir arbeiteten den ganzen Tag, und nach dem Aktzeichnen, das gewöhnlich um acht Uhr abends aus war, gingen wir meistens zu mir, um zusammen zu essen und nachher zu plaudern. Werefkin war immer zu Hause. Die Stimmung war immer sehr lebendig, lustig und freundschaftlich. In dieser Schule arbeiteten wir drei Jahre bis 1899."

Von diesen drei Jahren studiert Jawlensky allerdings maximal eineinhalb bei Ažbe, ansonsten unternimmt er 1897 und 1898 ausgiebige Reisen nach Venedig und zu seinem Bruder Dimitrij nach Russland. Dennoch wird ihm dessen Leitsatz „Nur fest!", der in großen Lettern

Schwarzer Tisch, 1901,
Öl auf Leinwand, 90 × 65 cm

über der Eingangstür zur Schule prangt, in seiner grundsätzlichen Einstellung, das Detail zu vernachlässigen und die Gegenstände auf den Bildern summarisch, malerisch frei zu behandeln, entgegengekommen sein. Der häufige Ausruf Ažbes „Schmieren's ruhig!", den der Lehrer auf seinem Korrekturrundgang den Schülern über die Schultern hinweg laut zuruft, schlägt in dieselbe Kerbe, das Zögerliche prinzipiell sein und Großzügigkeit herrschen zu lassen. Auch lernt Jawlensky hier seinen Kollegen Wassily Kandinsky (1866–1944) kennen, der nur ein Jahr nach ihm von Russland nach München gekommen ist und von der Ažbeschule bald an die Akademie zu Franz von Stuck wechselt. Stuck und Franz von Lenbach, der zweite weit über München hinaus bekannte Münchner Malerfürst, hat vor 1900 auf Jawlensky eine große Anziehungskraft. Insbesondere imponiert haben dürfte es dem stolzen, standesbewussten Jawlensky, dass es diesen beiden Malern gelungen ist, zur oberen Gesellschaftsschicht zu gehören: Mondän residieren sie in ihren Villen an der ‚Prinzregentenstraße' und neben den Propyläen am ‚Königsplatz'.

Zwar diskutiert Jawlensky, an kunsttechnologischen Dingen höchst interessiert, mit Stuck in dessen Atelier über die Vor- und Nachteile der Temperamalerei, und besucht im Glaspalast eigens einen Raum mit Lenbach-Porträts, künstlerisch fesseln aber in jenen frühen Münchner Jahren doch andere Maler längerfristig seine Aufmerksamkeit.

Bilder wie *Schwarzer Tisch* machen in ihrer flüssigen, sehr breit angelegten Ton-in-Ton-Malerei deutlich, dass es die Maler des Realismus wie Wilhelm Leibl, Wilhelm Trübner oder Carl Schuch sind, die Jawlensky rezipiert. Sie bringen ihn, auch wenn er diese nicht eigens erwähnt, in seiner Entwicklung weiter. Dies ist insofern bemerkenswert, als die Künstler des Leibl-Kreises während ihrer diversen Parisaufenthalte französische Maler wie Édouard Manet oder Gustave Courbet verarbeiten und deren Kunst in ihren Bildern nicht nur mit nach München bringen, sondern hier auch präsentieren.

Helene im spanischen Kostüm, um 1901/02,
Öl auf Leinwand, 190,5 × 96,5 cm

Auch der südtirolische Künstler Leo Putz (1869–1940), der Jawlensky malerisch und motivisch in seinen Frauenbildern nahesteht, kommt aus Paris von der berühmten Académie Julian nur ein Jahr nach Jawlensky nach München. Er bringt im Gepäck den französischen Impressionismus mit hierher. Es bleibt also an dieser Stelle festzuhalten, dass Jawlensky bereits um 1900 indirekt auf diverse Tendenzen französischer Malerei und deren immense Bedeutung für die Moderne aufmerksam wird. Deshalb verwundert es auch nicht, dass er, derart vorbereitet, zu den ersten Künstlern gehört, die die Tragweite von Claude Monet, Paul Signac oder Vincent van Gogh erkennen, als diese bald darauf tatsächlich mit ihren Werken bei Privatsammlern, in den fortschrittlichen Galerien Münchens oder in den Museen Deutschlands auftauchen.

‚SEINE' HELENE IM SPANISCHEN KOSTÜM

Das in vielerlei Hinsicht außergewöhnliche, gleichermaßen große wie großartige Gemälde *Helene im spanischen Kostüm* ist das wichtigste Frühwerk des Malers. Einerseits legt es die künstlerischen Spuren offen, welche Jawlensky um 1901/02 verfolgt – die überraschenderweise zunächst von München nach Berlin statt nach Paris führen. Andererseits lässt es tiefe Einblicke in seine Biografie zu. Kurzum: Bei dem Bild, das das größte ist, das Jawlensky je gemalt hat, handelt es sich um ein klassisches Schlüsselwerk eines Künstlers, in dem vieles kulminiert: das Leben, das Werk und alles, was sich gewöhnlich zwischen diesen beiden spannungsreichen Polen abspielt und verbirgt.

Doch wer ist die Dargestellte? Welche Bedeutung hat sie für den Maler? Helene Nesnakomoff ist, wie bereits erwähnt, schon im Herbst 1896 aus Russland mit nach München gekommen, wo sie in der weitläufigen Schwabinger Altbauwohnung für den Haushalt verantwortlich ist. Um 1900 kommt es offenbar zur Annäherung zwischen Helene und Jawlensky. Zumindest verrät dies ihr anspruchsvolles Porträt.

Ich hatte gerade eine lebensgroße Figur von Helene fertig gemalt, stehend, in grüner Taille und dunkelrotem Rock. Jemand schellte. […] Ich öffnete die Türe, und herein kam ein großer Mann in einem alten Paletot, der mit starker Stimme sagte: „Mein Name ist Lovis Corinth."

Alexej von Jawlensky in seinen *Lebenserinnerungen*, 1937

Das, was das Gemälde *Helene im spanischen Kostüm* nun so delikat erscheinen lässt, ist weder, dass beide ein Verhältnis miteinander haben, noch, dass Helene darauf möglicherweise bereits schwanger ist. Pikant ist der Umstand, dass Jawlensky nicht die Bedienstete Werefkins, sondern ‚seine' Helene auf dem Gemälde lebensgroß malt und damit seiner Lebensgefährtin Werefkin, die als Künstlerin um die Besonderheit des aussagekräftigen Bildformats weiß, unmissver-

Carneval, 1902,
Öl auf Leinwand, 49,2 × 39 cm

ständlich zu verstehen gibt, dass sich die Verhältnisse ernsthaft geändert haben. Jawlensky bekennt sich spätestens mit diesem Porträt offen zu seiner Liebe zu Helene und verwandelt damit die Beziehung zu Werefkin in eine verworrene Ménage à trois, die an den Nerven aller Beteiligten im Haushalt gezerrt haben muss. Blickt man Helene ins Gesicht, so bemerkt man – trotz ihrer selbstbewussten Haltung mit den in die Hüfte gestemmten Armen – ihren müden Blick und mag eine vage Vorstellung davon bekommen, wie anstrengend es gerade für Helene als sehr zurückhaltenden Menschen gewesen sein muss zwischen den beiden starken Persönlichkeiten Jawlensky und Werefkin.

Kostümball, hinten rechts Alexej von Jawlensky, links neben ihm Marianne von Werefkin und vor ihm Helene Nesnakomoff, 1913

Lässt man einmal den ‚privaten russischen Roman' im Bild beiseite, ist es vor allem das Thema der Spanierin und damit der exotischen Maskerade, das sich durch Leben und Werk des Künstlers zieht. Mit diesem Gemälde setzt es fulminant ein. Nicht nur, dass Jawlensky mit Helene gerne auf Kostümbälle gegangen ist, er malt mit Vorliebe Menschen in Karnevalskostümen (siehe Abb. links), Opherndarsteller, verkleidete Tänzer wie Alexander Sacharoff und immer wieder Spanierinnen.

Auch stilistisch ist das Gemälde für Jawlenskys Werdegang bemerkenswert, da es ihm den Weg nach Berlin ebnet. Jawlensky, der sich in München sehr wohlfühlt, ist in der bayerischen Hauptstadt nur aus einem Grund unzufrieden: Es tun sich ihm hier schlicht zu wenige

Ausstellungsmöglichkeiten auf. 1901 etwa zeigt er einige Bilder in der von Kandinsky gegründeten Phalanx-Malschule, dann erst wieder, soweit wir wissen, 1905 im Kunstsalon Krause. Das ist selbst für einen Künstler, der nicht auf Verkäufe angewiesen ist, aber natürlich seine Arbeit dennoch präsentieren möchte, unzureichend. Jawlensky nutzt die Chance, als ihn der berühmte Maler Lovis Corinth, der zuvor noch ein Nachbar von ihm gewesen ist und inzwischen in Berlin Karriere gemacht hat, in seinem Atelier besucht. Begeistert von dem lebensgroßen Gemälde seiner Geliebten lädt ihn Corinth sogleich nach Berlin ein, um seine Bilder dort zu zeigen. Jawlensky zögert nicht eine Sekunde, endlich seine Malerei einem breiteren Publikum in Berlin zu präsentieren und zur Diskussion zu stellen – und hat in der Metropole sogleich guten Erfolg.

Zwischen 1904 und 1906 nimmt er regelmäßig an den viel beachteten Ausstellungen der Berliner Secession teil, auch wird er hier von den renommierten Berliner Galeristen Eduard Schulte und Paul Cassirer ausgestellt. Doch Jawlensky geht es nicht um irgendwelche finanziellen Erfolge in Berlin, die der dortige Kunstmarkt selbstverständlich bietet – glücklicherweise kennt er noch keine Geldsorgen. Das wird daran deutlich, dass er sich in Berlin deutlich weniger engagiert, als er die Chance erkennt, seine Kunst für sich und andere mit den wirklich ‚ertragreichen' Aufenthalten in Murnau weiter vorantreiben zu können. Zwar stellt er später noch hie und da in Berlin aus – 1909 in der Secession, 1911 in der Neuen Secession, einer ihrer Abspaltungen, und schließlich 1913/14 jeweils in der Sturm-Galerie bei Herwarth Walden. Aber das eigentlich Spannende geschieht für ihn ab 1908 längst nicht mehr in Berlin, sondern findet fern von jeder Großstadt in der Provinz des oberbayerischen Alpenvorlands statt. Dort nämlich, wo sich sehr bald in enger Zusammenarbeit mit Jawlenskys Künstlerfreunden Wassily Kandinsky, Gabriele Münter (1877–1962) und Marianne von Werefkin das ‚Wunder von Murnau' – die Erfindung des deutschen Expressionismus – vollziehen wird.

Immer wieder Paris

Um das ‚Wunder von Murnau' entsprechend einordnen zu können, ist Jawlenskys ‚Horizonterweiterung' bis 1908 nachzuspüren, als es in dem voralpinen Marktflecken durch ihn zur Initialzündung kommt. Neben der nach und nach auch in Deutschland präsentierten französischen Kunst sind es die vielen Reisen nach Frankreich, insbesondere Paris, auf welchen er wichtige Kontakte knüpft und Bilder im Original studiert, die seine Kunstanschauung nachhaltig verändern. All dies zusammengenommen, führt letztlich ab spätestens 1910 zu seinem unverwechselbaren Stil.

> Im Herbst ging ich mit Marianne von Werefkin auf 14 Tage nach Paris. Wir besuchten den Maler Girieud und dann auch Matisse. Mit Matisse unterhielt ich mich längere Zeit sehr interessant über Kunst. Damals lernte ich auch van Dongen kennen [...].
>
> Alexej von Jawlensky in seinen *Lebenserinnerungen*, 1937

DAS NETZWERK IN PARIS

Insgesamt ist Jawlensky vor dem Ersten Weltkrieg wohl sechs Mal in Paris: erstmals im Jahr 1895 auf der Suche nach einer für Werefkin und ihn geeigneten Stadt, dann 1903, sehr wahrscheinlich jeweils im Herbst 1905 und 1906, sowie 1907, eigens um die große Paul-Cézanne-Retrospektive zu sehen, und erneut im Herbst des Jahres 1911. Viele der Parisaufenthalte stehen in Verbindung mit eigenen Ausstellungen, so etwa die beiden wichtigen Beteiligungen am skandalträchtigen *Salon d'Automne,* wo Jawlensky vom 18. Oktober bis 25. November 1905 sechs Gemälde zeigen darf – laut Werefkin eine „wahre und große Freude" –, neben den in der Presse als „Fauves" beschimpften André Derain, Henri Matisse oder Maurice de Vlaminque. Im Jahr darauf stellt er erneut im *Salon d'Automne* aus – diesmal jedoch als Teil der *Section de l'Art Russe* –, Russland ist im Herbst 1906 als Gastland eingeladen. An seinen russischen Kollegen lässt Jawlensky kein gutes

Der *Salon d'Automne* in Paris und sein Skandal von 1905

Die Kunstszene in Paris wurde in der zweiten Hälfte des 19. Jahrhunderts zunächst maßgeblich geprägt von den der Akademie nahestehenden, offiziellen Künstlerorganisationen. Zu diesen gehörten der 1862 gegründete *Salon National des Beaux-Arts* und die etwa 20 Jahre darauf organisierte *Société des Artistes Français*. Wer sich den akademischen Werten verpflichtet sah und dies in seiner Kunst auszudrücken wusste, hatte auf den jährlich ausgerichteten Ausstellungen seinen Platz sicher. Junge Künstler mit innovativ-progressiven Ansätzen hatten es jedoch schwer, mit ihrer Malerei an der gestrengen Jury vorbei, bestehend zumeist aus überalterten Akademieprofessoren, die ihre Pfründe zu verteidigen wussten, hinein in die hell erleuchteten Säle zu gelangen.

Deshalb formierte sich auch sehr bald der Widerstand der abgelehnten Maler. 1863 wurde erstmals der *Salon des Réfusées* eröffnet. Nur hier durften die heute weltberühmten Impressionisten Claude Monet (1840–1926), Auguste Renoir (1841–1919) oder Alfred Sisley (1839–1899), deren Werke damals von offizieller Seite abgewiesen wurden, ihre Arbeiten präsentieren. Selbst ein so renommierter Maler wie Gustave Courbet (1819–1877) musste des Öfteren auf den sogenannten Salon der Zurückgewiesenen ausweichen. 1884 wurde in dieser Tradition der *Salon des Indépendants* ins Leben gerufen. Gegründet von den Pointillisten Georges Seurat (1859–1891) und Paul Signac (1863–1935), war es die erste Ausstellung, die noch einen Schritt weiter ging und gänzlich ohne Jury auskam. Jeder, der seine Werke zeigen wollte, durfte das tun, allein die Öffentlichkeit war

Der Katalog zum *3. Salon d'Automne*, 1905

der Richter. Die Zahl der Künstler wuchs, gleichzeitig nahm die Anziehungskraft der offiziellen Kunstsalons ab, was 1903 zur Eröffnung des ersten *Salon d'Automne* führte. Während die Veranstaltungen der „Unabhängigen Künstler“ im Frühling stattfanden, zeigten die Maler auf dem Herbstsalon ihre aktuellen Produktionen des Sommers, und das führte 1905 zu einem Skandal, der die gesamt Kunstwelt erschütterte.

Blick in die Ausstellung des *3. Salon d'Automne*, 1905

Impressionistische, ja sogar pointillistische Malerei war man selbst in konservativen Kreisen längst gewohnt, aber das, was die junge nachfolgende Generation mit den Fauves, den ‚Schmierfinken‘ Henri Matisse (1869–1954), Maurice de Vlaminck (1876–1958) oder André Derain (1880–1954) aus Collioure, wo sie am Meer gearbeitet hatten, mitbrachten, erzürnte die Gemüter so sehr, dass der Saal VII des Grand Palais als „Käfig der Wilden“ („Cage aux Fauves“) in die Kunstgeschichte einging. Der Vorwurf lautete: unkontrollierte Wildheit, Materialverschwendung und überhaupt, die Farben hätten mit den realen Gegenständen, die sie zeigen, doch nichts mehr zu tun. Auch unser Held Jawlensky und sein Freund Kandinsky, die 1905 unweit des berühmt-berüchtigten Saal VII ihre Bilder zeigten, bekamen in der Presse ihr Fett weg: „Die russischen Maler, die Herren Jawlensky und Kandinsky, sagen auf ihre Art, was sie besser verschweigen mögen“, schrieb da ein Kritiker. Im Nachhinein liest sich das fast wie ein Lob.

Haar, was nicht verwundert, da er sich künstlerisch zu diesem Zeitpunkt bereits als Teil der zeitgenössischen französischen Malerei sieht. Als er im Herbst 1906 in Paris seine Bilder vor Ort auspackt, schreibt er zunächst Werefkin, die in Carantec in der Bretagne weilt: „Die Arbeiten brachte ich ins Grand Palais in die Ausstellung. Sie gefielen sowohl Djagilew wie Benois [Organisatoren des *Salon d'Automne*] sehr gut [...]. Was die Farbe angeht, schlagen sie meiner Ansicht nach fast alle und ich denke, dass meine Wand sehr schön wird. Es werden alle 11 Arbeiten ausgestellt." Wenig später, als Jawlensky die gesamte *Exposition Russe* überblickt, geht er Werefkin gegenüber noch schärfer mit den russischen Malern ins Gericht: „In der russischen Abteilung ist so wenig, das mir gefällt, so wenig, fast nichts. Serov ist fürchterlich, Repin-Wolkonski sehr schlecht, Maljawin grob und auch wenig interessant, Grabar ist ein Professor und langweilig u.s.w., u.s.w." Im selben Atemzug hebt er demgegenüber in diesem höchst aufschlussreichen Schreiben seine wahren Interessen hervor: „Dafür gibt es bei den Franzosen wunderbare Arbeiten, sogar Säle. Gauguin – ein Wunder. Cézanne – ein Wunder."

Ein heute leider zu wenig bekannter französischer Maler aber ist für Jawlensky der eigentliche Türöffner in Paris: Pierre-Paul Girieud (1876–1948). Mit ihm stellt er bereits 1904 noch vor seiner Beteiligung im *Salon d'Automne* in einer Pariser Galerie in der Rue Le Peletier 20 direkt neben der berühmten Kunsthandlung von Durant-Ruel gemeinsam aus. Es entsteht wohl nicht zuletzt wegen dieser Ausstellung in den folgenden Jahren während seiner Parisaufenthalte eine intensive Freundschaft, die sich vor allem auch darin widerspiegelt, dass die beiden Maler gegenseitig Werke tauschen. Girieud hat sich ab 1905 durch Beteiligungen im *Salon des Indépendants* sowie im *Salon d'Automne*, aber vor allem durch seine Zugehörigkeit zu den farbgewaltigen Fauves in der französischen Kunstszene einen hervorragenden Namen gemacht und hat Jawlensky wahrscheinlich schon früh nicht nur Henri Matisse vorgestellt, sondern auch bewirkt, dass er als Russe in den französischen Künstlerkreisen aufgenommen wurde.

Im Gegenzug wird Girieud wiederum später von Jawlensky und Werefkin nach München eingeladen, wo er nicht nur in allen drei Ausstellungen der Neuen Künstlervereinigung München (1909–11) und in einer eigenen Werkschau mit Franz Marc in der Galerie Thannhauser (1911) präsentiert, sondern auch in dem von Kandinsky und Marc herausgegeben Almanach *Der Blaue Reiter* mit einer Abbildung berücksichtigt wird. In seiner Malerei versucht dieser überaus originelle, mitunter ins Skurrile abgleitende Künstler, Paul Gauguin und Henri Matisse miteinander zu verbinden, was Jawlensky mit Neugierde wahrnimmt.

Ferner ist noch die Freundschaft mit der russischen Malerin Elisabeth Iwanowna Epstein (1879–1956) hervorzuheben, die er bereits 1896 in München in der Ažbeschule kennengelernt hat. Sie lebt ab 1904 unregelmäßig in Paris und stellt im Herbst 1906 gemeinsam mit Jawlensky in besagter russischer Abteilung im *Salon d'Automne* aus. Epstein macht ihn nicht nur mit dem Fauvisten Henri Manguin bekannt, den beide im Atelier besuchen wollen, sondern auch mit der Malerin Sonia Terk, mit der sie 1906 in Paris in einer Wohngemeinschaft lebt und die 1910 Robert Delaunay heiraten wird.

MÜNCHNER BOHEME

In München wird – parallel zu Jawlenskys Frankreichreisen zwischen 1903 und 1908 – der bereits erwähnte „rosafarbene Salon" von Marianne von Werefkin zum Treffpunkt schlechthin, wo sich viele, nicht nur russische, sondern auch deutsche und französische Persönlichkeiten aus der Kunst-, Theater- und Politikszene begegnen. Neben dem Leiter der Pinakotheken, Hugo von Tschudi, geht hier auch Gustav Pauli, der bedeutende Museumsdirektor der Bremer und Hamburger Kunsthalle, ein und aus. Letzterer erinnert sich 1936 sehr lebhaft und wohl auch ein wenig wehmütig an die Empfänge dieser illustren Gesellschaft vor dem Ersten Weltkrieg: „In dieser Welt [...] bildete der Salon der Baronin Werefkin einen Mittelpunkt. Sie war die international erzogene Tochter eines russischen Generals, welt-

Bildnis des Tänzers Alexander Sacharoff, 1909,
Öl auf Karton, 69,5 × 66,5 cm

Alexej von Jawlensky, Clotilde von Derp, Marianne von Werefkin und Alexander Sacharoff, München 1914

Wir waren mehrere Jahre immer zusammen und er fast täglich bei uns. [...] Ich habe immer gesehen, wie er tanzte.

Alexej von Jawlensky über Sacharoff in seinen *Lebenserinnerungen*, 1937

gewandt, gescheit und kritisch beredt. Um ihren Teetisch sammelte sich täglich das Grüpplein der Getreuen, zumeist russische Künstler, auch der Tänzer Sacharoff, und ihre Münchner Freunde, eine ziemlich bunte Gesellschaft, in der sich die bayerische Aristokratie mit dem fahrenden Volk der internationalen Bohème begegnete. [...] Nie wieder habe ich eine Gesellschaft kennengelernt, die mit solchen Spannungen geladen war. Das Zentrum, gewissermaßen die Sendestelle der fast physisch spürbaren Kräftewellen, war die Baronin. Die zierlich gebaute Frau mit den großen dunklen Augen, den vollen roten Lippen und der infolge eines Jagdunfalls verkrüppelten linken Hand, beherrschte nicht nur die Unterhaltung, sondern ihre ganze Umgebung."

Das einfühlsame Bildnis, das Jawlensky von Werefkin just in dem Moment malt, in dem sie nach einer zehnjährigen Pause wieder

Der Tänzer Alexander Sacharoff (1886–1963) wechselt 1905 von Paris, wo er Jura und Kunst studiert hat, nach München an die Kunstakademie. Sehr schnell lernt der gebürtige Russe in Schwabing Jawlensky und Werefkin kennen und wird festes Mitglied deren Künstlerkreises. Der schillernde Tänzer steht ihm häufiger Modell – hier zeigt der Maler den androgyn wirkenden Sacharoff so verführerisch lächelnd, dass dieser Frauen wie Männer gleichermaßen zu betören vermag.

Bildnis Marianne von Werfekin, um 1906, Öl auf Karton, 67,5 × 49,5 cm

beginnt, künstlerisch tätig zu werden, scheint ganz die Beschreibung Paulis zu bestätigen. Mit wachen Augen, sorgsam alles um sie herum Vorgehende beobachtend, blickt sie still aus dem Bild heraus, wobei sich in ihrem ausladenden modischen Hut die ganze Extravaganz ihrer Persönlichkeit zu bündeln scheint. Jawlensky weiß das bewegte Innere seines ‚platonischen Lebensmenschen' in einem temperamentvollen Pinselstrich für uns sichtbar zu machen, der nicht von ungefähr an die furiose Malerei der von ihm soeben erst in Paris kennengelernten Fauvisten erinnert.

Wenn Gustav Pauli vom „fahrenden Volk" spricht, das im „rosafarbenen Salon" gastiert, dann meint er Künstler wie den Zeichner Alfred Kubin, den **Nabis*** Paul Sérusier oder den sogenannten ‚Malermönch' – den niederländischen Künstler und Benediktinerpater Jan Verkade –, die sich jeweils für kurze Zeit in München aufhalten und mit Jawlensky künstlerischen Austausch pflegen. Mit Verkade, der wie sein Kollege Sérusier Paul Gauguin in Frankreich noch persönlich kennengelernt und dessen Lehre verinnerlicht hatte, malt Jawlensky neben Stillleben im Sinne Cézannes heimlich auch Akte, was den zum Kloster Beuron gehörigen Mönch Verkade freilich schon kurz darauf in größte Schwierigkeiten bringt. Wie Jawlensky berichtet, folgt die Strafe auf dem Fuß: „Er besuchte mich täglich in meinem Atelier. [...] Er malte Stilleben, sehr kultiviert und harmonisch, aber es fehlte das Temperament, das gerade in meinen Bildern anzutreffen war. [...] In meinem Atelier malte Verkade auch Akt. Als er wieder ins Kloster zurückkam, mußte er seinem Prior alles beichten, und da er Akt gemalt hatte, mußte er als Buße nach Jerusalem, um eine Kirche auszumalen."

Bemerkenswert ist zum einen, dass die wenigen Aktgemälde, lediglich 15 Arbeiten sind bekannt, und die unzähligen Aktzeichnungen

* **NABIS** *Mit dem Begriff „Nabis" (hebr. „Propheten") ist eine französische Künstlergruppe bezeichnet, die auf Paul Gauguins (1848–1903) Neuerungen aufbaut. Gründer war Paul Sérusier (1864–1927), der mit Gauguin befreundet war und 1888/89 in der Pariser Kunstschule Académie Julian junge Maler wie Pierre Bonnard (1867–1947), Maurice Denis (1870–1943) oder Jan Verkade (1868–1946) auf dessen Kunst hinwies. In ihrer Malerei verbanden sich symbolistische Inhalte mit unstrukturierten Farbflächen und betonten Konturen.*

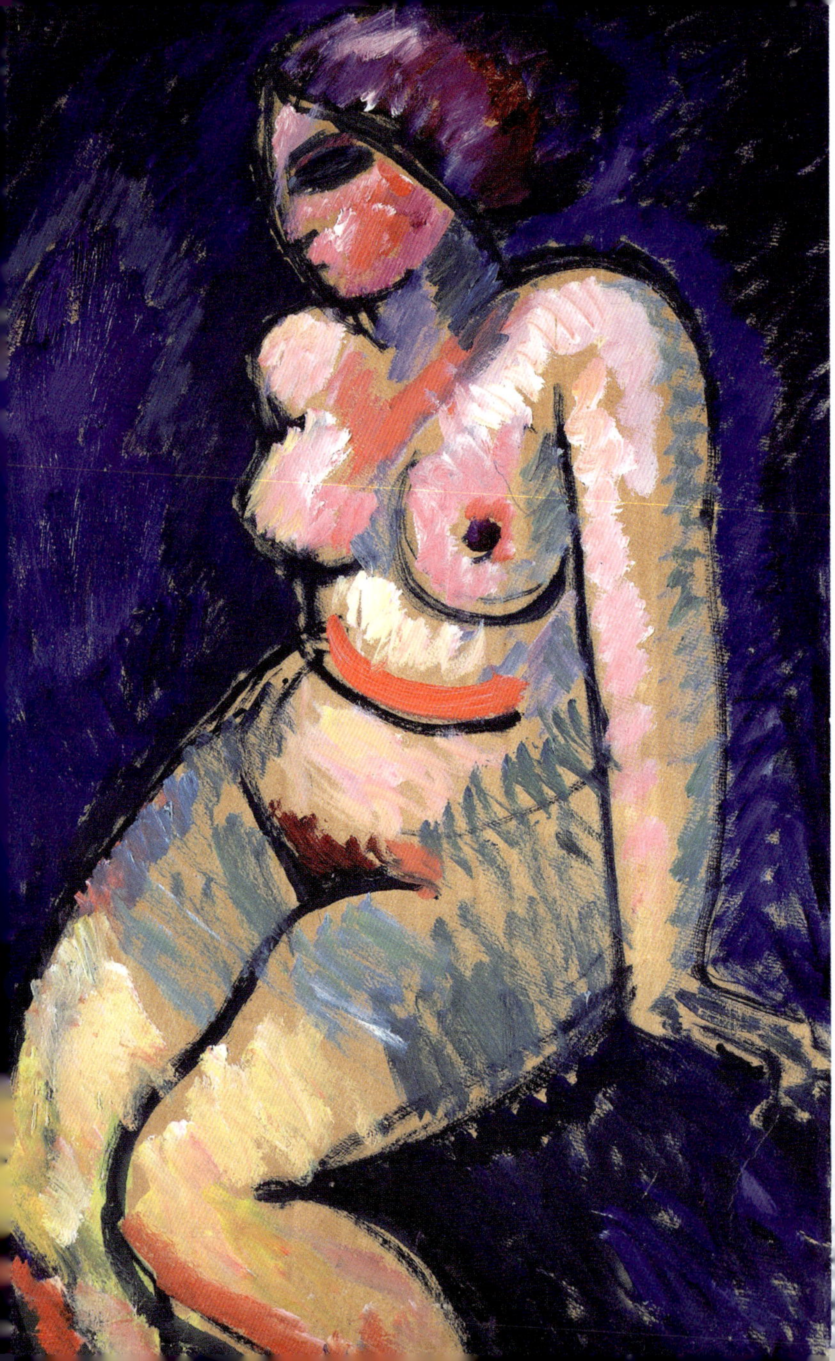

Sitzender weiblicher Akt, um 1910,
Öl auf Karton, 70 × 42 cm

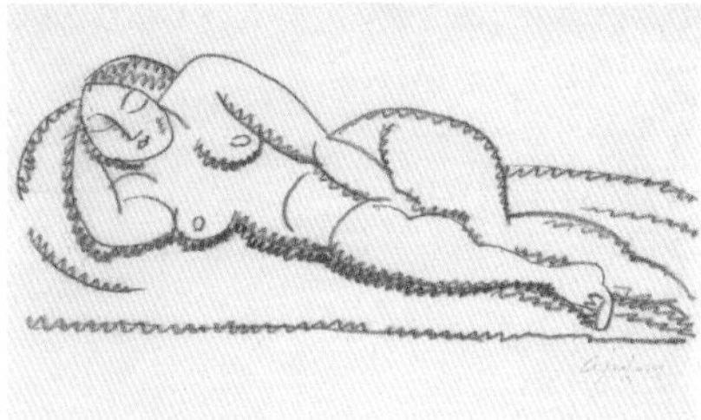

Liegender weiblicher Akt, 1913,
Kohle, 30,5 × 49 cm

Jawlenskys sämtlich zwischen 1910 und 1913 entstehen, als Verkade seine Strafe im Nahen Osten ‚absitzt'. Zum anderen wird zwischen den Zeilen deutlich, dass Jawlensky sowohl die Kunst von den Nabis als auch von Paul Gauguin – bei aller Wertschätzung, die er dieser zurückhaltenden, flächigen Malerei entgegenbringt – doch für zu ‚blutleer' hält.

TEMPERAMENT UND FLÄCHIGKEIT – VOM IMPULSGEBER VAN GOGH ZUR LINIE PAUL GAUGUINS

‚Blutleer' ist auch das richtige Stichwort, um Jawlenskys künstlerische Intention besser begreifen zu können, denn genau das ist es, was der Künstler von Anfang an – man denke an die Beschäftigung mit Lovis Corinth, Carl Schuch oder Leo Putz – in keinem Moment sein will. Auch ist das der Grund, warum Jawlensky nach einer kurzen Phase um 1902/03, in der er – angeregt durch die Malerei Georges Seurats und Paul Signacs – im Stile des **Pointillismus*** experimentiert, und vor allem von der Malerei Vincent van Goghs (1853–1890) begeistert ist. Erste Arbeiten des Holländers sieht er wohl 1903 im Münchner Glaspalast im Original. Von der Wucht dieses Ereignisses berichtet der

---

* **POINTILLISMUS** *Bei dem Pointillismus handelt es sich um eine Maltechnik, die in der Nachfolge des Impressionismus steht, weshalb er auch Neoimpressionismus genannt wird. Im Gegensatz zu den Impressionisten, die mit spontan gesetzten Pinselstrichen arbeiteten, setzten die Pointillisten die Farben ungemischt und gleichmäßig „Punkt für Punkt" nebeneinander auf die Leinwand. Diese reinen Farbpunkte mischen sich erst im Auge des Betrachters zu den gewünschten Tönen. Durch den gleichmäßigen Farbauftrag besitzen die Bilder darüber hinaus eine homogene Flächigkeit. Die Theorie entwickelte Georges Seurat (1859–1891) Anfang der 1880er-Jahre in Paris.*

Hyazinthe länglich, 1902, Öl auf Leinwand, 76,8 × 35,7 cm

Im Frühling 1905 [1906] fuhren wir alle nach der Bretagne an das Meer nach Caranteque. Hier arbeitete ich sehr viel. Und ich verstand, die Natur entsprechend meiner glühenden Seele in Farben zu übersetzen. [...] Die Bilder waren glühend in Farben. [...] Zum erstenmal habe ich damals verstanden zu malen, nicht das, was ich sehe, aber das, was ich fühle.

Alexej von Jawlensky in seinen *Lebenserinnerungen*, 1937

Künstler ganz unverstellt und sympathisch ehrlich in seinem *Selbstbildnis mit Zylinder*. Mit ihm teilt der Künstler jedem Betrachter, sowohl dem damaligen als auch dem heutigen, stolz und selbstbewusst mit, dass er von jetzt an ein Stück weit seines Weges Hand in Hand mit Vincent van Gogh geht. Man darf ohne Weiteres zuspitzen: Zwischen 1904 und 1906 versucht Jawlensky die Kunst van Goghs für sich zu nutzen, indem er dessen Malerei in seinen eigenen Landschaften, Porträts und Stillleben eingehend praktisch überprüft.

Selbstbildnis mit Zylinder, 1904, Öl auf Leinwand, 65,5 × 46,4 cm

Selbstbildnis mit Zylinder. Wie van Gogh ordnete auch Jawlensky hier jedem Bildbereich einen eigenen Pinselduktus zu: Der Hintergrund ist kreuzartig schraffiert, die Kleidung diagonal, der Hut waagerecht und das Gesicht mit dünneren Strichen in weiten Bögen ausgeführt. Er zeigt sich ausgesprochen selbstbewusst mit weißem Malkittel und einem schwarzen Zylinder – der damaligen ‚Krone des Bürgers'. Mit dieser erhebt Jawlensky den Maler im Allgemeinen und sich im Besonderen zum ‚König der Gesellschaft'.

Stillleben mit Apfel, blauer Schale und Kanne, 1907, Öl auf Karton, 47,8 × 53 cm

Während seiner Parisaufenthalte von 1905 und 1906 begegnet er sodann den Fauves, wodurch sein Pinselstrich noch deutlich an Vehemenz gewinnt. Bei einem anschließenden Aufenthalt in Carantec an der nordfranzösischen Küste kommt es zur entscheidenden Erkenntnis, nicht das, was man sieht, zu malen, sondern das, was man fühlt. 1906/07 setzt er sich dann erneut in all den von ihm gepflegten Gattungen – Bildnis, Landschaft und Stillleben – mit der Kunst Paul Cézannes auseinander. Durch dessen Werke versteht Jawlensky, dass zu jedem Bild zwingend nicht nur Struktur, vielmehr auch ein unbedingter gestalterischer Wille und eine gewisse kompositionelle Strenge gehören.

Alexander Sacharoff (Tanzstudie), um 1912, Bleistift, 50 × 35,2 cm

Nächste Doppelseite: **Bahnhof Füssen im März**, 1905, Öl auf Karton, 38 × 50 cm

Fortan sind Jawlenskys Arbeiten denn auch in ihren Kompositionen durchweg klar aufgebaut, besitzen die dynamische Leidenschaftlichkeit van Goghs und die farbliche Kühnheit der Fauves. Fehlt noch die für Jawlensky typische Umrisslinie, die er 1908 wohl kurz vor den Murnauer Aufenthalten als letzte fehlende ‚Zutat' für sich und seine Kunst entdeckt. Paul Gauguin, der Ende des 19. Jahrhunderts den **Cloisonismus*** berühmt macht, ist hierbei allerdings nicht allein ausschlaggebend für Jawlensky. Als ebenso wesentlich für seine Kunst zu nennen ist der japanische Holzschnitt, den er just in diesem Jahr zu sammeln beginnt.

Wir befinden uns jetzt im Jahr 1908 – quasi im Vorfeld des deutschen Expressionismus – an einem historischen Punkt, an dem etwa gleichzeitig auch die einzelnen Mitglieder der Künstlergruppe Brücke in Dresden – Erich Heckel, Ernst Ludwig Kirchner, Max Pechstein und Karl Schmidt-Rottluff – zu sich selbst finden. Jawlenskys gemeinsame Zeit mit Wassily Kandinsky, Gabriele Münter und Marianne von Werefkin in Murnau steht unmittelbar bevor.

---

* **CLOISONISMUS** *Der Begriff Cloisonismus (franz. „Scheidewand") bezeichnet eine Maltechnik, in der verschiedene Farbfelder im Bild mit kräftigen Konturlinien gegeneinander abgesetzt beziehungsweise zusammengefasst werden. Verbreitet wurde dieser flächige Stil in Frankreich von den Künstlern, die sich um 1888 in Pont Aven um Paul Gauguin zusammenfanden. Vorbilder waren die mittelalterlichen Glasfenster der französischen Kathedralen in Amiens, Chartres, Reims oder Notre Dame in Paris. Hier konnten die Künstler der Moderne bereits ähnliche, durch Bleifassungen voneinander getrennte Farbfelder entdecken.*

A. Jawlensky.

Das ‚Wunder von Murnau'

Jawlensky und Werefkin unternehmen von Anfang an von München aus viele Reisen in das Umland. So sind sie 1904 in Reichertshausen, 1905 in Füssen und 1906/07 in Wasserburg am Inn, was durch Gemälde, die während der jeweiligen Besuche entstehen, belegt ist. Dass sie sich ab 1907 aber für ihre ländlichen Studienaufenthalte mehr im Voralpenland umsehen und so im Herbst dieses Jahres auf den beschaulichen Marktflecken Murnau stoßen, liegt wohl an der beeindruckenden Künstlerpersönlichkeit Ferdinand Hodlers. Auf einer Rückreise aus Frankreich nach Deutschland über den Jahreswechsel 1906/07 macht Jawlensky nämlich extra Station in Genf, um den Schweizer Maler zu besuchen. Er berichtet über diesen Aufenthalt: „Von der Oktoberausstellung in Paris sind wir nach Südfrankreich in die Provence und Sausset am Mittelmeer gefahren, wo wir bis Weihnachten blieben. Ich malte dort nur Landschaften. Über Genf sind wir nach München zurückgefahren. In Genf blieben wir einige Tage, wo ich Hodler besuchen wollte. Ich suchte ihn in seinem Atelier auf und sprach mit ihm sehr leidenschaftlich über alles, was mir in der Kunst nicht ganz klar war. Hodler lächelte und schaute sehr schlau und sagte: ‚Es ist merkwürdig, wie die Russen so temperamentvoll sind.'

Von links nach rechts: Alexej von Jawlensky, Marianne von Werefkin, Sohn Andreas und Gabriele Münter in Murnau im Sommer 1908

Ich arbeitete im Winter sehr fest, auch figurale Arbeiten, und im Sommer waren wir einige Monate in Murnau, wo ich sehr viele Landschaften malte. So gingen einige Jahre hin in großer Arbeit, im Winter im Atelier, im Sommer in Murnau. Kandinsky kam auch nach Murnau. Wir arbeiteten sehr viel und stellten auch sehr viel zusammen aus.

Alexej von Jawlensky in seinen *Lebenserinnerungen*, 1937

[...] Ich lud Hodler zum Abendessen ins Hotel ein. Er kam mit seiner Frau. [...] Dieser Abend mit Hodler, seiner Frau und Marianne von Werefkin war einer der interessantesten Abende, die ich je erlebt habe." Genf mit seiner reizvollen Lage vor den Toren der Waliser Alpen ist für Hodler die Inspiration für dessen beeindruckende Bergansichten und zugleich Vorbild für Jawlensky und Werefkin, sich nach ähnlichen Bedingungen in ihrem Münchner Umfeld umzusehen.

Für sich und ihre Kunst entdecken sie schließlich Murnau im Herbst 1907. Der Durchbruch des deutschen Expressionismus geschieht aber erst in den Sommeraufenthalten der drei darauffolgenden Jahre, wo die beiden Paare Jawlensky und Werefkin sowie Kandinsky und Münter intensiv miteinander arbeiten, diskutieren und kunsttheoretische Thesen formulieren. Während Jawlensky durch seine immense malerische Erfahrung seine Künstlerkollegen intuitiv mitreißt und ihnen einen neuen künstlerischen Weg aufzeigt, tun sich Werefkin und Kandinsky theoretisch hervor. Hier entwickeln sie die Idee zur Neuen

NEUE
KÜNSTLER VEREINIGUNG = MÜNCHEN
AUSSTELLUNG
IN DER „MODERNEN GALERIE"
VON H. THANNHAUSER THEATINERSTR.
VOM 1 BIS 15 DEZEMBER 1909

Die Neue Künstler-vereinigung München und Der Blaue Reiter

Am 22. März 1909 wurde mit dem Eintrag der Neuen Künstlervereinigung München (NKVM) ins Vereinsregister des Amtsgerichtes München eine der bedeutendsten Bewegungen der modernen Kunst ins Leben gerufen. Die wichtigsten Gründungsmitglieder waren Alexej von Jawlensky, Wassily Kandinsky und Marianne von Werefkin. In dem wohl während des Murnauer Aufenthalts im Spätsommer 1908 erstmals angedachten sowie den daran anschließenden Treffen in der Giselastraße 23 gemeinsam entworfenen und von Gabriele Münter handschriftlich niedergeschriebenen Gründungszirkular wird das revolutionäre Hauptanliegen der Vereinigung sogleich augenscheinlich: „Wir gehen aus von dem Gedanken, daß der Künstler außer den Eindrücken, die er von der äußeren Welt, der Natur, erhält, fortwährend in einer inneren Welt Erlebnisse sammelt; und das Suchen nach künstlerischen Formen, welche die gegenseitige Durchdringung dieser sämtlichen Erlebnisse zum Ausdruck bringen soll – nach Formen, die von allem Nebensächlichen befreit sein müssen, um nur das Notwendigste stark zum Ausdruck zu bringen –, kurz, das Streben nach künstlerischer Synthese.“

Insgesamt veranstaltete die NKVM, der auch bald Erma Bossi (1875–1952), Adolf Erbslöh (1881–1947), Alexander Kanoldt (1881–1939), Alfred Kubin (1877–1959) oder der Tänzer Alexander Sacharoff (1886–1963) angehörten, zwischen 1909 und 1911 drei Ausstellungen. Diese fanden stets in den Räumen der Modernen Galerie Thannhauser statt und waren international – sowohl mit russischen als auch mit französischen Künstlern – besetzt. Auch Franz Marc trat im Januar 1911 der NKVM bei, nachdem er zuvor die erste Ausstellung besucht und die zweite in einer „leidenschaftlichen Verteidigungsschrift“ gegen die schlimmen Kritiken der *Münchner Neuesten Nachrichten*, die die

Wassily Kandinsky, Plakat zur 1. Ausstellung der NKVM in der Galerie Thannhauser in München, Farblithografie, 1909

Franz Marc, **Blaues Pferd I**, 1911, Öl auf Leinwand, 112 × 84,5 cm

teilnehmenden Künstler als „unheilbar irrsinnig" beschrieb oder von „schamlosen Bluffern" sprach, verteidigt hatte. Da Kandinskys kompromissloser Weg in die Abstraktion von einigen Mitgliedern der NKVM skeptisch betrachtet wurde, kam es intern auf der Jurysitzung zur dritten Ausstellung zum Skandal – denn sein Gemälde *Komposition Nr. 5* (1911) wurde nur aufgrund einer Formalie zurückgewiesen. Dies hatten allerdings Marc und Kandinsky bereits vorhergesehen, weshalb sie den Eklat absichtlich provozierten. Im Vorfeld planten sie bereits die Abspaltung mit ihrer neuen Künstlergruppe Der Blaue Reiter, deren erste Werkschau dann tatsächlich parallel zur dritten Ausstellung der NKVM eröffnet wurde. Hier zeigten neben

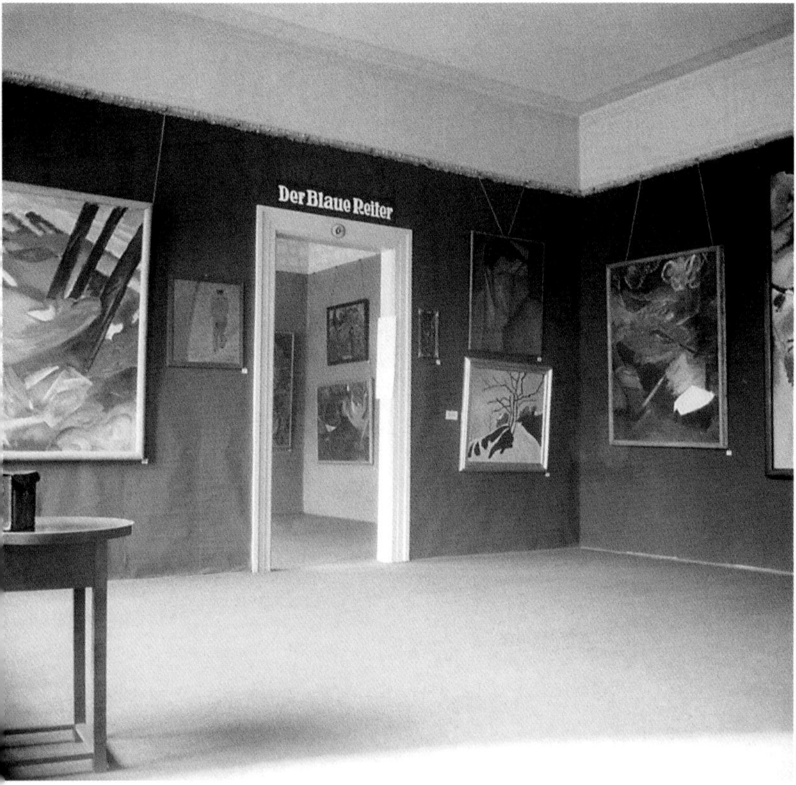

Blick in die erste Ausstellung des Blauen Reiters, Galerie Thannhauser, München, 1911

August Macke (1887–1914) so berühmte Maler wie Robert Delaunay (1885–1941) und Henri Rousseau (1844–1910) ihre Werke. In dem starken titelgebenden Bild des sich aufbäumenden „Blauen" Pferdes und seinem „Reiter" verbinden sich kompromisslos-expressiver Schaffensdrang (Heiliger Georg) und das geistige Prinzip der Romantik (die „Blaue Blume" – eine Schöpfung des romantischen Schriftstellers Novalis). Außerdem zeigt der 1912 von Marc und Kandinsky herausgegebene gleichnamige *Almanach* – die Programmschrift des Blauen Reiters – erstmals auch schriftlich die Bedeutung einer explizit internationalen Zusammenarbeit zwischen Künstlern auf, wie sie heute geläufig ist.

Dame mit Fächer, 1909,
Öl auf Karton, 92 × 67 cm

Künstlervereinigung München, aus welcher schließlich als un/gewollte Abspaltung die Gruppe Der Blaue Reiter hervorgeht. Sie legen durch ihre Diskussionen den Grundstein für so wichtige Publikationen wie Kandinskys *Das Geistige in der Kunst* und den *Almanach* des Blauen Reiters, die beide 1912 erscheinen.

Gabriele Münter, die von Jawlensky wohl am meisten profitiert und in diesen Jahren ihre faszinierendsten Bilder schafft, erwirbt in Murnau an der Kottmüllerallee im August 1909 ein Haus, das im Volksmund aufgrund ihrer merkwürdig fremdländischen Bewohner auch das „Russenhaus" genannt wird. Schon bald wird es als intellektuelle Brutstätte des Blauen Reiters gelten. Wie wichtig Jawlensky gerade für Kandinsky und Münter zu diesem entscheidenden Zeitpunkt der deutschen Kunstgeschichte ist, geht aus deren eigenen im Nachhinein getätigten Äußerungen hervor. Kandinsky etwa schreibt am 23. März 1934 an Jawlensky: „Ich habe damals viel von Ihnen gelernt und werde Ihnen dafür immer tief dankbar sein. Es ging mir [...] um den organischen Zusammenhang, die Einheitlichkeit der Form, die nur im ‚Summarischen' existiert." Und viel früher schon, im Mai 1911 –, also bereits kurz nach den gemeinsamen Murnauer Aufenthalten – hält Münter Vergleichbares über Jawlenskys Vorbildfunktion in ihrem Tagebuch fest: „Ich habe da nach einer kurzen Zeit der Qual einen großen Sprung gemacht – vom Naturabmalen – mehr oder weniger impressionistisch – zum Fühlen des Inhaltes, zum Abstrahieren – zum Geben des Extraktes. Es war eine schöne, interessante, freudige Arbeitszeit mit vielen Gesprächen über Kunst mit den begeisterten ‚Giselisten' [Jawlensky und Werefkin]. Ich zeigte meine Arbeiten besonders gerne Jawlensky – einerseits lobte er gern und viel, andererseits erklärte er mir auch manches – gab mir von seinem Erlebten und Erworbenen und sprach von ‚Synthes'. Er ist ein netter Kollege." In einer weiteren, allerdings undatierten Äußerung wird Münter noch deutlicher: „Wenn ich ein formales Vorbild hatte – gewissermaßen war das von 1903 bis 1913 der Fall –, so ist es wohl van Gogh durch Jawlensky und dessen Theorien (das Sprechen von Synthese)."

Das Tal – Murnau, um 1910, Öl auf Karton, 33 × 42,7 cm

Jawlensky selbst besitzt zu diesem Zeitpunkt gemeinsam mit Werefkin sogar ein Gemälde des Holländers. Er erwirbt 1908 in der Münchner Galerie Thannhauser/Brakl dessen Bild *Die Straße in Auvers/Das Haus des Père Pilon* aus dem Jahr 1890, das natürlich auch Münter bekannt ist, die es in seiner Schwabinger Wohnung gesehen haben dürfte.

Das, was Kandinsky und Münter beeindruckt, ist demnach Jawlenskys anregend frische und insbesondere keineswegs kunsttheoretisch überfrachtete Übersetzung des „Synthétisme"-Begriffs von Paul Gauguin. Die bei Jawlensky immer auf das Allgemeine, das Typische abzielende Reduzierung der Wirklichkeit auf das Wesentliche – so versteht Jawlensky den Begriff der Synthese – wird von ihm nicht nur frei, koloristisch delikat und malerisch großzügig in den Bildern – etwa in der *Dame mit Fächer* und *Das Tal – Murnau* – angewendet, sondern zugleich auch mit der von ihm gesammelten naiven bayerischen

Hinterglasmalerei, dem oben bereits erwähnten japanischen Holzschnitt und dem kraftvollen Farbauftrag der Fauves verbunden. Jawlensky, dem es so in Murnau gelingt, mit seiner durch und durch praktischen Anleitung Gauguins Kunst zu erneuern und für eine jüngere Generation fruchtbar zu machen, ist als ebenso ruhender wie beruhigender Pol in diesen diskussionsreichen Monaten und vor allem in diesem besonderen Moment der Kunstgeschichte die richtige, die entscheidende Persönlichkeit, um gemeinsam mit den anderen die Theorien hinter sich zu lassen und das von allen ersehnte malerische Neuland zu betreten.

UNVERWECHSELBAR JAWLENSKY

Jawlensky wird ab 1909 erfolgreich: Er stellt beispielsweise 1909 gemeinsam mit Kandinsky im Folkwang Museum in Hagen aus, 1911 wird ihm in Barmen (heute ein Stadtteil von Wuppertal) die erste Einzelschau ausgerichtet, und 1912 ist er mit einigen Arbeiten auf der Sonderbundausstellung in Köln vertreten. Dieser öffentliche Erfolg geht einher mit seiner intensiven künstlerischen Entwicklung: Aus ihm ist eine eigenständige Künstlerpersönlichkeit erwachsen. Ist die *Dame mit Fächer* aus dem Jahr 1909 eindeutig noch Schmelztiegel aller seiner zuvor begierig aufgesogenen und kreativ verarbeiteten Einflüsse – die **Väter der Moderne***, der Japonismus und die Fauves –,

---

* **VÄTER DER MODERNE** *Als „Väter der Moderne" werden gemeinhin die drei Maler Paul Cézanne (1839–1906), Paul Gauguin (1848–1903) und Vincent van Gogh (1853–1890) bezeichnet. Diesen Titel tragen sie zu Recht: Cézanne sollte Anreger für den Kubismus werden, weil er als Erster seine Landschaften, Figuren und Gegenstände auf dreidimensionale Grundformen zurückführte. Gauguin war aufgrund seiner Malweise in konturierten Flächen bedeutsam für den Jugendstil, der wiederum die Abstraktion vorbereitete. Und van Gogh wurde mit seinem leidenschaftlichen Pinselduktus der Pate aller Expressionisten, deren Malweise gestischer Natur war.*

Nikita, 1910, Öl auf Karton, 85,5 × 73,5 cm

Nikita. Jawlensky zeigt durch seine fesselnde Malerei Nikita als verletzlichen und aufmerksamen, mit großen Augen blickenden Jungen. Damit charakterisiert er ganz nebenbei das Typische der Jugend, die mit einer Mischung aus Schüchternheit und Neugier der weiten unbekannten Welt gegenübersteht. Nikita gehört der verlorenen Generation an, deren Spuren sich im Laufe der Russischen Revolution (1917) in der Weite des Landes verlieren. Allein durch das eindrucksvolle Porträt wissen wir von der Existenz dieses Jungen.

so ist im Gemälde *Nikita* die Symbiose dieser Einflüsse merklich zurückgenommen. Aus der Ferne sind diese Vorbilder hier zwar noch spürbar, aber eben nicht mehr unmittelbar, sondern – salopp formuliert – ‚künstlerisch verdaut'. Die neugierigen großen Augen, der starke Kontur des Gesichts, die schüchtern im Schoß zusammengeführten Hände sowie der bemerkenswerte grün-blau changierende Hintergrund, der letztlich das Bild aus malerischer Hinsicht revolutionär macht, all dies ist plötzlich ganz unverwechselbar und typisch für Jawlensky. Mit dem über die Ostertage 1910 gemalten Gemälde *Nikita* – es handelt sich um einen Neffen Werefkins, der aufgrund einer Lungenkrankheit für Arztbesuche in München weilt – ist demnach der Beginn seiner künstlerischen Eigenständigkeit markiert, derer sich Jawlensky selbst erst während seines Ostseeaufenthalts, ein Jahr darauf, bewusst wird: „Im Frühling 1911 fuhren wir nach der Ostsee nach Prerow, Werefkin, André, Helene und ich. Dieser Sommer bedeutete für mich eine große Entwicklung in meiner Kunst. Ich malte dort meine besten Landschaften und große figurale Arbeiten in sehr starken, glühenden Farben, absolut nicht naturalistisch und stofflich. [...] Die Formen waren sehr stark konturiert [...] und gewaltig aus einer inneren Extase heraus. [...] Dies war die Wendung in meiner Kunst. Und bis 1914, gerade vor dem Krieg, habe ich in diesen Jahren meine stärksten Arbeiten, die unter dem Namen ‚Vorkriegsarbeiten' bekannt sind, gemalt." Diese Aussage Jawlenskys beschreibt just den ‚Augenblick', in dem er mit seinem *Selbstbildnis* (Abb. Seite 5) kritisch Resümee zieht.

Bis zum Ersten Weltkrieg sind Jawlensky in München insgesamt also vier Jahre voll malerischer Kreativität gegeben. In seinen absichtsvoll schlicht gehaltenen Kompositionen jener Jahre erzielt er die größte Wirkung. Vor allem seine einprägsamen Köpfe verhelfen ihm zu Weltruhm. Diese zeichnen sich nicht nur durch ihre völlige Konzentration auf das Gesicht aus, das ab diesem Moment gern die gesamte Bildfläche füllt, sondern auch durch die durchwegs überlegt strukturierte Farbigkeit, die nicht selten mit pastosem, immer aber mit vibrierendem Pinsel aufgebracht ist. Dabei ist entscheidend, dass Jawlensky nicht mehr die individuelle Person wiedergibt, sondern allgemeine Gesichtstypen und somit den entscheidenden Schritt vom ‚Bildnis' zum ‚Bild' vollzieht. Der Gehalt seiner Arbeiten entzieht sich denn auch mehr und mehr dem Konkreten, ohne gänzlich abstrakt zu werden, wie dies Kandinsky oder Robert und Sonia Delaunay in jenen Jahren machen. Hierdurch werden seine Werke allumfassender, tiefer und damit einhergehend vergeistigter, als sie es zuvor waren. Diese neuen ‚Masken', die sich nach und nach aus seinem bevorzugten Themenkreis Karneval, Oper und Theater entwickeln, sind von geradezu magischem Leben erfüllt, was vor allem durch die großen schwarz umrandeten Augen transportiert wird. Völlig davon durchdrungen wirken sie schon zu diesem Zeitpunkt beinahe ikonenhaft – noch lange vor Jawlenskys letztem Werkkomplex, den *Meditationen*. Somit besitzen diese in mehrerelei Hinsicht ‚fantastischen' Köpfe eine Aura, die den Betrachter – ohne auch nur die geringste Andeutung einer narrativen Geschichte in sich zu tragen – auf einer höheren Ebene direkt anspricht und berührt. Ganz nebenbei legt sich der Künstler damit noch vor dem Einschnitt des Ersten Weltkriegs bereits unbewusst eine Möglichkeit bereit, um nach dem Schicksalsschlag im Jahr 1914 mit den *Mystischen Köpfen* und den *Heilandsgesichten*, nach einer Atempause neu ansetzend, daran anzuschließen.

Im Jahr 1911 kam ich zu einer persönlichen Form und Farbe und habe gewaltige figurale Bilder und Köpfe gemalt und mir damit einen Namen gemacht. So arbeitete ich bis 1914.

Alexej von Jawlensky an Jan Verkade, 1938

Prinzessin Turandot, 1912, Öl auf Leinwand, 60 × 54 cm

Prinzessin Turandot. Im Jahr 1912 hat Jawlensky eine frühe Fassung des Bühnenstücks Turandot besucht. Hierdurch angeregt, ist das Bild der gefährlichen Prinzessin entstanden. Mit schwarzem Mund und dunkel umrahmten, katzenartigen Augen versetzt sie ihre Umgebung in kreisende Bewegung. Das Zentrum des Sogs bleibt ihr Gesicht. Der Geschichte nach ist ein jeder in Todesgefahr, der sich in sie verliebt und ihre Rätsel nicht lösen kann. Wer das ‚Glück' hat, das Gemälde im Original zu sehen, muss folglich um sein Leben bangen.

1914 – im Schweizer Exil

Als Jawlensky aufgrund des Ausbruchs des Ersten Weltkriegs als russischer Staatsangehöriger mit Helene Nesnakomoff, seinem inzwischen zwölf Jahre alten Sohn Andreas und Marianne von Werefkin Deutschland in nur 48 Stunden verlassen muss, bricht für ihn eine Welt zusammen: München, das vor Kurzem doch noch so „leuchtete", wo er 18 Jahre wohnte und vom nehmenden zum gebenden Künstler wurde, ist ihm, der kein politischer Mensch ist, aus heiterem Himmel unmöglich geworden. Im Frühjahr ist er noch an der italienischen

Bordighera, 1914, Öl auf Karton, 53,3 × 49 cm

Wir mußten unsere Wohnung verlassen mit allen Möbeln und Kunstgegenständen und durften nur das mitnehmen, was wir in der Hand tragen konnten.

Alexej von Jawlensky in seinen *Lebenserinnerungen*, 1937

Riviera in Bordighera, um eine Venenentzündung auszukurieren. Dennoch entstehen hier die fröhlichsten Landschaftsbilder. Im Sommer nach der Kriegserklärung Österreich-Ungarns an Serbien Ende Juli 1914 ist alle Leichtigkeit vorüber. Deutschland und Russland stehen nicht mehr Seite an Seite, sondern sich nun in einem Krieg gegenüber. Jawlensky wird jäh aus seiner Wahlheimat München herausgerissen.

In die neutrale Schweiz dürfen sie nur das mitnehmen, was sie tragen können, und mit diesem Wenigen kommen sie an den Genfer See. In München lassen sie in ihrem Schwabinger Paradies ihre Gemälde und Zeichnungen, ihren Hausrat und ihre Katze zurück. Mindestens ebenso schwer wiegt aber der Verlust des künstlerischen Umfeldes. Es wird das einzige Mal im Leben von Jawlensky sein, dass er nicht aus freien Stücken den Ort wechselt, sondern sich von höheren Mächten gezwungen sieht.

Alexej von Jawlensky an der italienischen Riviera in Bordighera, Frühjahr 1914

Das kleine Fischerdorf Saint-Prex am Nordufer des Genfer Sees, wo sie zu viert in der Rue de Motty 2 eine kleine Zweieinhalbzimmerwohnung im ersten Stock beziehen, wird von ihnen als erste Unterkunft im Exil natürlich nicht zufällig gewählt – es liegt exakt zwischen Lausanne,

Am Bahnhof von Locarno, von links nach rechts: Helene Nesnakomoff, Alexander Sacharoff, Emmy (Galka) Scheyer, Alexej von Jawlensky, Clotilde von Derp und Marianne von Werefkin, 1919/20

wo ihr langjähriger Freund Alexander von Chruschtschow wohnt, und Genf, wo sie Ferdinand Hodler in der Nähe wissen. Den so in alle Winde verstreuten Münchner Freundeskreis gilt es wieder, soweit dies in den ersten Kriegswirren überhaupt möglich ist, zusammenzuführen beziehungsweise neue Künstlerkollegen zu gewinnen, da viele ihrer Freunde wie Adolf Erbslöh Kriegdienst leisten müssen. Enger Kontakt besteht weiterhin zu Paul Klee (1879–1940), der mit seiner Frau Lily in München bleiben darf und der sich gelegentlich um ihre Wohnung kümmert. Bei ihnen um die Ecke in Lausanne lässt sich auch der Tänzer Alexander Sacharoff mit seiner Frau Clotilde von Derp nieder. Gemeinsam gelingt es ihnen sogar, den berühmten Kollegen Waslaw Nijinsky in die Schweiz zu schleusen. Den Maler Cuno Amiet, der als Schweizer Künstler problemloser zwischen den Welten wandeln kann und den Jawlensky bereits 1909 im Zuge der Ersten Ausstellung der Neuen Künstlervereinigung in München kennenlernt, bittet er um einen besonderen Gefallen: „Ich wollte unbedingt meinen van Gogh in der Schweiz haben", berichtet er in seinen *Erinnerungen*, „und so schrieb ich an Amiet nach Oschwand, ob er nicht nach München fahren könnte, um mir meinen van Gogh zu holen. Amiet war so lieb und gütig und hat noch 1914 nicht nur meinen van Gogh, sondern auch zwei meiner eigenen Arbeiten gebracht, den ‚Buckel' und noch einen Kopf."

Obwohl es sich hier so liest, als ob es Jawlensky sehr schnell gelungen sei, ein neues Netzwerk in der Schweiz aufzubauen, verhält es sich doch anders. Denn der Künstler lebt gerade in den ersten beiden Jahren am Genfer See in engsten Verhältnissen und sehr zurückgezogen, allein auf sich und seine Kunst zurückgeworfen. Und gerade Letztere macht es ihm just in diesem einsamen Moment zunächst nicht leicht.

Der Buckel I, 1911, Öl auf Karton, 53 × 49,5 cm

Jawlensky will zunächst den existenziellen Tiefschlag, den die Ausweisung aus Deutschland für ihn bedeutet, ignorieren und – in der Hoffnung, es werde sich schon nur um ein kurzes politisches Intermezzo handeln – direkt an seine produktive Münchner Zeit anknüpfen. Er merkt aber sehr schnell, dass ihm das nicht gelingt, da er vom Zeitgeschehen doch tiefer getroffen ist, als ihm bewusst ist. Deshalb verwundert es auch nicht, dass sich dieser harte und vor allem unerwartete biografische Bruch im Leben des sensiblen Künstlers auch in seiner Malerei thematisiert findet, die, wie er immer wieder betont, seine Seele widerspiegelt. Er selbst wirkt wie befreit, als er endlich eine Lösung findet, durch die er diesen toten Punkt überwinden kann, an den er durch seine Selbsterkenntnis, nicht einfach so weitermachen zu können wie zuvor, ja gelangt ist. Er entdeckt in seinem engen Zimmer das Fenster für sich und den damit verbundenen Blick hinaus in die Freiheit für seine Malerei. An Verkade schreibt er, die entscheidenden Stationen seines Lebensweges resümierend: „In unserer kleinen Wohnung dort hatte ich nur ein kleines Zimmer zum arbeiten mit einem Fenster." Und weiter berichtet er in seinen *Erinnerungen* über diesen Neustart: „Ich fing an, meine sogenannten *Variationen über ein landschaftliches Thema,* die ich vom Fenster sah, zu malen. Und das waren ein paar Bäume, ein Weg und der Himmel. Ich fing an, etwas zu malen, um mit Farbe auszudrücken, was mir die Natur soufflierte. In harter Arbeit und mit größter Spannung fand ich nach und nach die richtigen Farben und Formen, um auszudrücken, was mein geistiges Ich verlangte. Jeden Tag malte ich diese ‚Farbigen Variationen', immer inspiriert von der jeweiligen Naturstimmung zusammen mit meinem Geist." Ganz simpel ausgedrückt: Der wiederholte Blick des Künstlers aus diesem Fenster hinaus wird mit dem Bild, das damals daraus entstand und heute vor uns steht, zum Blick in die Seele seines Schöpfers hinein. Beides – sein Fenster und seine Malerei – legt er damit nicht nur übereinander, sondern überblendet sie, und kommt so zur ersten offenen Serie in der Kunstgeschichte.

Meine Seele war durch vieles Leid anders geworden, und das verlangte, andere Formen und Farben zu finden, um das auszudrücken, was meine Seele bewegte.

Alexej von Jawlensky in seinen *Lebenserinnerungen*, 1937

Das Prinzip Serie

Mit der Serie setzte die Moderne in der bildenden Kunst ein. Im Gegensatz zum klassischen Zyklus gibt es bei einer Serie keinen Anfang und kein Ende, vielmehr könnte sie endlos fortgeführt werden. Der entscheidende Unterschied zwischen beiden allerdings ist, dass ein Zyklus immer den Fokus auf die zu erzählende Geschichte legt – etwa auf die christliche Passion, die mit der Verurteilung Jesu durch Pontius Pilatus einsetzt und mit seiner Grablegung endet. Die Serie hingegen negiert durch vielfache Wiederholung des nur scheinbar immer gleichen Motivs jegliche Geschichte, rückt dafür aber durch die Variationen die künstlerischen Mittel und damit das Tun des Malers in den Vordergrund. Plötzlich drängen sich Fragen auf: Was macht ein Bild aus? Wann ist ein Bild ein Bild? Und welche Strategie steckt hinter einem Bild? Gleichzeitig verliert das einzelne Werk jedoch an Bedeutung, da das Thema der jeweiligen Serie erst durch das vom Künstler streng durchgehaltene Konzept zur Entfaltung kommt und vom Betrachter nur im Überblick verstanden werden kann.

Obwohl die berühmten *Heuhaufen* von Claude Monet (1840–1926) noch nicht unter den Begriff des seriellen Arbeitens fallen, war mit der zwischen 1885 und 1891 entstandenen Folge von etwa 30 Gemälden der erste Schritt in diese Richtung getan. Monet nahm zwar immer wieder dasselbe Motiv in den Blick, hatte selbst aber kein streng definiertes System, nach dem er vorging. Und zudem war die Folge in dem Moment, in dem er seine Heuhaufen in den verschiedenen Tages- und Jahreszeiten wiedergegeben hatte, für ihn inhaltlich abgeschlossen. Ähnlich machte er dies kurz darauf bei seinen *Kathedral-* und *Pappel*-Bildern. Jawlensky aber ging ab 1914 erstmals in der Kunstgeschichte den entscheidenden Schritt weiter: Er setzte sich für die Serie *Variationen eines landschaftlichen Themas* ein formales Korsett, das ihm im Gegenzug, weil er es konsequent durchhielt, größte Freiheit für seine Malerei gewährte, die sich dadurch sogar der

Claude Monet, **Getreideschober, Giverny, am Vormittag**, 1888/89, Öl auf Leinwand
Nächste Doppelseite: **Abstrakte Köpfe** in Serie – Präsentation im Museum Wiesbaden

Musik anzunähern vermochte. Sein Thema war die Variation und nicht mehr das Motiv, durchaus vergleichbar mit Johann Sebastian Bachs (1685–1750) *Goldbergvariationen.*

Das Prinzip der offenen Serie wurde in der Folge von vielen berühmten Künstlern in der zweiten Hälfte des 20. Jahrhunderts genutzt. Josef Albers (1888–1956) etwa malte die weltberühmten Bilder *Hommage to the Square,* Andy Warhol (1928–1987) setzte nicht nur die Pop-Diva Marilyn Monroe seriell in Szene, sondern sogar Dosensuppen, und On Kawara (1933–2014) malte über 2000 seiner simplen und dennoch äußerst nachdenklich stimmenden *Date Paintings.* Das jeweils zugrunde gelegte System war der Schlüssel zu den Fragen, die die Künstler mit ihren Werkreihen stellten – so fragten sie etwa nach der gegenseitigen Beeinflussung von Farben, der Ethik im Konsumverhalten oder der Bedeutung einer Tagesleistung. Fragen, die man sich nicht nur mit einem einzelnen Bild, sondern – wenn überhaupt – nur in einer Serie eindrücklich stellen und beantworten kann.

Variation: Großer Weg – Abend, 1916,
Öl auf Malpapier, 52,5 × 35 cm

Die Serie *Variationen eines landschaftlichen Themas* ist ein tastender, lyrischer Neuanfang des Künstlers im unfreiwilligen Exil. Sie hat nicht zuletzt aufgrund der beiden im Titel verwendeten Begriffe *Variationen* und *Thema* den Charakter einer Etüde, ähnlich wie Wassily Kandinskys Titel *Komposition* und *Improvisation* auf die Musik anspielen. Der Blick in den Garten ist dabei das Motiv, das Thema aber die Variation – und Letztere hängt, wie Jawlensky selbst es ja auch unmissverständlich klarmacht, allein mit der inneren Befindlichkeit des Künstlers zusammen. Vor diesem Hintergrund ist die Tatsache bemerkenswert, dass er hier von Beginn an den die Dinge fassenden Kontur, der bis 1914 seinen ‚sinnlichen' Farbfeldern Festigkeit und Halt verleiht, beiseite lässt und fortan in den Landschaften nur mehr mit unregelmäßig locker gesetzten Farbflecken arbeitet. Damit bringt Jawlensky subtil zum Ausdruck, dass seine Welt zu diesem Zeitpunkt tatsächlich ‚aus den Fugen' geraten ist.

Dieser latente, aber unmittelbare biografische Zusammenhang zwischen den Variationen und der schwierigen Lage Jawlenskys, der sich – herausgerissen aus seinem gesellschaftlichen Umfeld – erst nach und nach in die beengten Verhältnisse am Genfer See einfügen kann, verdeutlicht auch das Bild *Großer Weg – Abend.* Es stellt unter den vielen Landschaftsvariationen ein Schlüsselwerk dar. Einerseits zeigt es einen Blick in einen heiteren, von einem leichten Wind belebten Garten mit bunten Sträuchern und Zypressen, andererseits findet man darin aber auch diesen breiten, sicherlich nicht unbedacht in roter ‚Passions'-Farbe ausgeführten Weg, der an einem schwarzen Gatter abrupt endet. Der Künstler muss sich im Schweizer Exil, so verrät er es in dieser *Variation,* mit seinem Blick in den verschlossenen Garten wie ein Vogel im goldenen Käfig gefühlt haben.

Um wieder mehr in den künstlerischen Austausch zu treten, zieht Jawlensky im Jahr 1917 gemeinsam mit den anderen ‚Familienmitgliedern' vom Genfer See nach Zürich in eine der Hochburgen des **Dadaismus***, wo sich ihr Bekanntenkreis sogleich erweitert. Hans Arp, Sophie Taeuber-Arp und Hans Richter zählen dazu, aber auch so bedeutende Persönlichkeiten wie der Komponist Ferruccio Busoni und der expressionistische Bildhauer Wilhelm Lehmbruck (1881–1919). Dessen existenzialistische Figurenwelt schätzt Jawlensky sehr, und sie lässt sich gut mit seinen späten Münchner Köpfen in Verbindung bringen. Während die Diskussionen mit den Dadaisten keinen Einfluss auf Jawlenskys Kunst haben, pflegt er mit Lehmbruck regen künstlerischen und gesellschaftlichen Austausch: „Seitdem war er [Lehmbruck] oft mit seiner Frau bei uns. Und ich war oft in seinem großen Atelier. Lehmbruck selbst war meistens sehr schweigsam. Aber seine Kunst hat schön gesprochen, besonders die der letzten Periode."

Gegen Ende des Jahres 1917 bricht auch in Zürich die Spanische Grippe aus, an der weltweit bis 1919 nach aktuellen Hochrechnungen an die 50 Millionen Menschen sterben. Jawlensky wird als einer der

---

* **DADAISMUS** *Unter dem provozierenden Begriff „Dada" oder „Dadaismus" (Gebrabbel eines Kleinkindes) schlossen sich 1916 in Zürich Künstler und Literaten zusammen und traten gemeinsam für die Freiheit der Kunst ein. Man wendete sich insbesondere gegen die verlogenen Werte der Gesellschaft, aber auch ironisch gegen sich selbst und die doch so hehren Ideale der Kunstwelt. Von der Schweiz aus schwappte die Bewegung zunächst nach Frankreich und Deutschland über – eines der Zentren war hier Hannover –, wenig später sogar in die USA. Bedeutende Vertreter waren Hans Arp (1886–1966), Marcel Duchamp (1887–1968), Max Ernst (1891–1976) und Kurt Schwitters (1887–1948). Unter den Literaten ist Joachim Ringelnatz hervorzuheben.*

Heilandsgesicht – Erwartung,
1917, Öl auf Malpapier,
38 × 28 cm

Ersten angesteckt. Um die Krankheit auszukurieren, wird ihm von den Ärzten geraten, ins Tessin an den Lago Maggiore zu ziehen, wo noch heute das beste Klima für Lungenkrankheiten besteht. In Ascona lebt Jawlensky bis 1921.

Dass Jawlensky mit den *Variationen über ein landschaftliches Thema* den für ihn einzig richtigen Weg der Serie eingeschlagen hat, wird darin deutlich, dass er noch während der letzten *Variationen*, die schon in Ascona entstehen, bereits die Serien der *Mystischen Köpfe* und *Heilandsgesichte* beginnt. Diese entwickelt er dann weiter über die *Abstrakten Köpfe* hin zu den späten, 1934 entstehenden *Meditationen*. An Jan Verkade schreibt Jawlensky im Sommer 1938 über die ersten in der Schweiz entstandenen Arbeiten: „Sie sind Lieder ohne Worte. Einige Jahre malte ich diese Variationen, und dann war mir notwendig, eine Form für das Gesicht zu finden, da ich verstanden hatte, daß die große Kunst nur mit religiösem Gefühl gemalt werden soll. Und das konnte ich nur in das menschliche Antlitz bringen. Ich verstand, daß der Künstler mit seiner Kunst durch Formen und Farben sagen muß, was in ihm Göttliches ist. Darum ist das Kunstwerk ein sichtbarer Gott, und die Kunst ‚Sehnsucht zu Gott'. Ich habe viele Jahre Gesichte gemalt. Ich saß in meinem Atelier und malte und mir war die Natur als Souffleur nicht notwendig. Mir war genug, wenn ich mich in mich selbst vertiefte, betete und meine Seele vorbereitete in einen religiösen Zustand. Ich habe viele, viele ‚Gesichte' gemalt", die „große Geistigkeit" ausstrahlen.

Abstrakter Kopf – Urform, 1910, Öl auf Karton, 42,8 × 32,8 cm

ASCONA – TREFFPUNKT SEINER SERIEN

Die drei Jahre in Ascona zwischen April 1918 und Mai 1921 sind für Jawlensky ein wesentlicher Lebensabschnitt – künstlerisch, fast mehr noch aber privat, weil er sich in dieser Zeit immer weiter von Werefkin entfernt. Für den Maler Jawlensky aber bringt diese Phase die höchste künstlerische Dichte seines Lebens mit sich. Der Maler arbeitet in Ascona an allen seinen Serien gleichzeitig – den *Variationen* sowie den *Mystischen Köpfen* und den *Heilandsgesichten*, die beide schon in Zürich begonnen werden. Neu hinzu kommen 1918 die *Abstrakten Köpfe*, die unter diesen Serien zur mengenmäßig größten Werkgruppe wachsen, da er sie erst 15 Jahre später im Jahr 1933 in Wiesbaden einstellt. Die vier Serien, an welchen Jawlensky am Lago Maggiore parallel arbeitet, überlappen sich nicht nur zeitlich, sondern gehen auch teilweise formal und inhaltlich unmerklich ineinander über. So gibt es *Abstrakte Köpfe*, die wie *Heilandsgesichte* wirken und umgekehrt. Dennoch besteht, insgesamt besehen, ein grundlegender Unterschied. Die *Heilandsgesichte* wirken deutlich spiritueller, die *Abstrakten Köpfe* hingegen, insbesondere im direkten Vergleich, unverkennbar klarer, auch nüchterner. Die Leuchtpunkte zwischen den Augenbrauen, die es bei den *Abstrakten Köpfen* denn auch nicht mehr gibt, verweisen auf das Dritte Auge und damit auf die Lehre des Buddhismus, mit welcher sich der Künstler schon seit 1913 intensiv auseinandersetzt.

> **Während meiner Zeit in Ascona habe ich sehr, sehr viel gearbeitet. Viele Variationen sind dort entstanden. Und ich fing auch meine Heiligengesichter und abstrakten Köpfe an zu malen. Für mich waren es Heiligengesichter.**
>
> Alexej von Jawlensky in seinen *Lebenserinnerungen*, 1937

Jawlensky begreift den Kopf spätestens ab diesen Moment als Stellvertreter für den gesamten Menschen, das heißt genau genommen,

Alexej von Jawlensky in Ascona mit einem seiner *Mystischen Köpfe* um 1919

dass in seinen Bildern vom menschlichen Antlitz Leib und Seele erfasst und auf allgemeingültige Art und Weise als untrennbare Einheit sichtbar gemacht werden. Wenn man nun der Verbindung von Körper und Geist in den diversen Serien nachspürt, scheint man die Diskussion, die der Künstler diesbezüglich mit sich in seinen Bildern führt, direkt zu verspüren. Den ephemeren *Heilandsgesichten* fehlt noch die Konstruktion oder, wie man auch sagen könnte, jegliches körperliche Rüstzeug. Sie wirken deshalb mitunter wie nicht recht fassbare, allerdings sehr hoffnungsfrohe Schemen – einem ungefestigten, vagen Aufbruch hin zum Geistigen gleichkommend. In den *Abstrakten Köpfen* hingegen findet Jawlensky zur idealen Daseinsform: die völlige Ausgewogenheit von Körper und Geist. Der untere Teil des Gesichtes wird nun gebildet durch eine feste U-Form, hinzu kommen klare Quadrate, Kreissegmente sowie schlichte gerade oder senkrecht gezogene Linien, die eine gesunde ‚Skelett'-Konstruktion

Abstrakter Kopf – Licht und Finsternis, 1925, Öl auf Karton, 42,5 × 32,5 cm

des Körpers meinen, während nach oben hin die Stirn, die aufgrund einer derartig stabilen Basis alles Geistige wie ein Gefäß mit Leichtigkeit aufzunehmen vermag, zumeist offen gegeben ist. Um im Bild zu bleiben: Die wertvolle Frucht der Seele hat damit die harte Schale des Körpers erhalten.

Wiesbaden! Zurück in Deutschland

Während Jawlensky in den letzten Schweizer Exiljahren in künstlerischen Fragen durch das konsequente Arbeiten in Serien zu überzeugenden Lösungen gekommen ist, die tragfähig sind für die Zukunft, gestaltet sich das private Umfeld zunehmend heikler. Die Verbindung mit seinem ersten ‚Lebensmenschen' Marianne von Werefkin, die zu keinem Zeitpunkt der letzten 20 Jahre einfach gewesen ist, löst sich wegen unüberbrückbarer Streitigkeiten endgültig auf. Aber nicht nur das: Auch die finanziellen Verhältnisse werden prekärer. Beide verlieren 1917 aufgrund der Russischen Revolution die Ansprüche auf ihre Pension, die sie ab 1915 wieder regelmäßig erhalten haben, unwiderruflich. Erstmals muss sich der Künstler seinen Lebensunterhalt allein durch seine Malerei verdienen.

Alexej von Jawlensky in Wiesbaden, 1924

In Wiesbaden hatte ich damals einen großen Erfolg. Ich begegnete dort sehr netten Menschen, und das bestimmte mich, meinen Wohnsitz in Wiesbaden zu nehmen.

Alexej von Jawlensky in seinen *Lebenserinnerungen*, 1937

Es kommt hinzu, dass Jawlensky sich ab etwa 1920 wieder nach Deutschland zu sehnen beginnt. Da ihn nach dem Bruch mit Werefkin nichts mehr in der Schweiz zurückhält, bahnt sich eine neuerliche Ortsveränderung an. Es soll die letzte in seinem Leben sein. In diesem Zusammenhang muss erwähnt werden, dass mit Emmy Scheyer (1889–1945) ein weiterer wegweisender Mensch in Jawlenskys Leben tritt, mit dem ihn eine lebenslange Freundschaft verbinden wird. Über Scheyer, die er 1916 in Lausanne kennenlernt, berichtet er in seinen Memoiren: „Sie kam aus Brüssel und war Malerin (impressionistisch). Sie sah mein Bild *Der Buckel* (Abb. Seite 63) und meine *Variationen* und war so begeistert, daß sie selbst nicht mehr malen wollte, sondern sich nur noch meiner Kunst widmen. Sie sagte: ‚Wozu will ich noch malen, da ich doch weiß, daß ich nicht so gute Kunst machen kann wie Sie. Es ist besser, ich widme mich Ihrer Kunst und werde sie anderen Menschen erklären.' Und wirklich, seit dieser Zeit hat sie sich mit großem Verständnis mit meiner Kunst beschäftigt." Und so ist sie es eigentlich, die Jawlensky 1921 die Tür nicht nur zurück nach Deutschland wieder aufstößt, sondern 1925 auch eine weitere nach Amerika hinüber öffnen wird.

Emmy Scheyer, die Jawlensky bald aufgrund eines Traums „Meine liebe Galka" nennt und mit der er einen Vertrag bezüglich der Vermarktung seiner Kunst schließt, besichtigt im Herbst 1919 seine zurückgelassenen Werke in der ehemaligen Münchner Wohnung. Daraufhin plant sie begeistert eine Ausstellungtournee durch ganz Deutschland, die im Juni 1920 im Kunstsalon von Fritz Gurlitt in Berlin eröffnet wird. Weitere Stationen sind im Anschluss daran die Galerie Commeter in Hamburg, die Galerie Hans Goltz in München, die Kestner-Gesellschaft in Hannover, der Württembergische Kunstverein in Stuttgart und der Kunstsalon Ludwig Schames in Frankfurt am Main – alles durch die Bank anerkannte Institutionen. Von Frankfurt aus wandert die Jawlensky-Ausstellung weiter nach Wiesbaden, wo

Es wurde immer dunkler und ich beeilte mich, das Gebäude schnell zu erreichen. Einige Schritte vor mir hob sich vom Boden und flog mir gegenüber eine Galka [russisch für Dohle], setzte sich mir an die Brust vertrauend sich an mich schmiegend, als ob sie da Wärme oder Freundschaft fühlte. Zärtlich drückte ich das Ding an meine Brust und eifrig eilte ich vorwärts [...]

Alexej von Jawlensky beschreibt einen Traum in einem Brief an Emmy Scheyer, in dem sie ihm als „Galka" erschienen ist, Februar 1921

sie der Nassauische Kunstverein und die Wiesbadener Gesellschaft für Bildende Kunst im Neuen Museum (heute: Museum Wiesbaden. Hessisches Landesmuseum für Kunst und Natur) in den ersten Monaten des Jahres 1921 präsentiert. Scheyer jubelt in einem Brief an den Künstler vom 16. Februar: „Denn Jawlensky hat in Wiesbaden einen fabelhaften Erfolg! [...] Alle Leute haben einen Jawlenskyfimmel."

Dennoch wählt Jawlensky die Kurstadt Wiesbaden sicherlich nicht aus rein finanziellen Gründen als zukünftigen Lebensmittelpunkt aus – auch wenn er während seiner dortigen Ausstellung sogleich 20 Bilder verkauft –, sondern an Wiesbaden beeindruckt ihn vieles mehr, etwa die großbürgerliche historistische Architektur der vorgelagerten Stadtvillen, ein Stadtbild, das er schon an München-Schwabing geschätzt hat. Dazu kommt, dass Jawlensky, als er im Juni 1921 erstmals nach Wiesbaden reist, von allen Seiten herzlich aufgenommen wird. So liegt es zum einen an der hier seit Beginn des 19. Jahrhunderts ansässigen russisch-orthodoxen Gemeinde, dass er sich in Wiesbaden sogleich ‚heimisch' fühlt, zum anderen an dem damals durch und durch künstlerisch-progressiven Klima der höchst mondän wirkenden Stadt. Der aus Essen stammende, seit 1909 in Wiesbaden lebende Industrielle Heinrich Kirchhoff etwa sammelt vornehmlich expressionistische Künstler wie Paul Klee, Oskar Kokoschka, Franz Marc oder

Alexej von Jawlensky, Helene Nesnakomoff und Sohn Andreas in Wiesbaden, um 1922

Emil Nolde und ab 1921 eben auch Alexej von Jawlensky. Zunächst wohnt der Maler im Zentrum der Stadt in der Nikolasstraße 3, bald aber wird er in der Beethovenstraße 9 ein direkter Nachbar Kirchhoffs. 1922 übersiedelt auch seine Familie aus der Schweiz nach Wiesbaden: Zu ihr gehört natürlich Helene, die er hier – fern von Werefkin – endlich heiraten kann, und sein Sohn Andreas, der nun seinen Namen trägt. Die große Wertschätzung aber, die er in Wiesbaden von Beginn an erfährt, ist auch an der Tatsache abzulesen, dass ihm der Nassauische Kunstverein sogleich eine druckgrafische Mappe mit sechs Lithografien in hoher Auflage produziert und verlegt. Die Mappe trägt den Titel *Köpfe* und scheint damit das Motto der Wiesbadener Jahre vorzugeben, denn außer wenigen Stillleben ist es vor allem weiterhin das Gesicht des Menschen, das ihn in Deutschland hauptsächlich beschäftigt – das Gesicht als Spiegel der ganzen Göttlichkeit, das er in seinen Bildern zu fassen versucht.

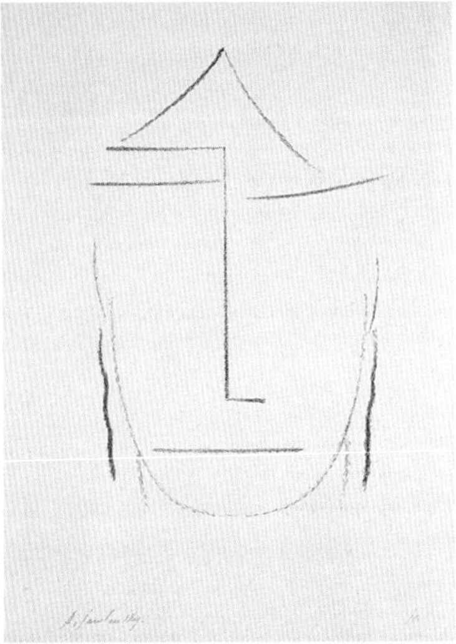

Kopf I und **Kopf III**, 1922, zwei Lithografien aus der Mappe *Köpfe*, je 48 × 32,6 cm

Ein wesentliches Ereignis war 1926 meine Begegnung mit A. v. Jawlensky, der seit einigen Jahren in Wiesbaden lebte, und diese Begegnung war eine große Bereicherung in meinem, jetzt ganz auf Hofheim beschränkten Leben. Er ermutigte mich sehr in meiner Arbeit und die Freundschaft blieb lebendig, bis er nach langem Leiden 1941 erlöst wurde.

Hanna Bekker vom Rath in ihrer Autobiografie, 1973

Hanna Bekker vom Rath, 1926

HANNA BEKKER VOM RATH UND LISA KÜMMEL

In Wiesbaden lernt Jawlensky neben der Kunsthistorikerin Mela Escherich (1877–1956), die während der Weimarer Republik mehrere Texte in Zeitschriften über seine Kunst publiziert, über die Jahre noch zwei weitere Frauen kennen, welchen er viel zu verdanken hat. Eine davon ist die Malerin, Mäzenin und spätere Galeristin Hanna Bekker vom Rath (1893–1983), die bereits 1921 seine Ausstellung im Frankfurter Kunstsalon Schames bewundert und den Künstler um 1925/26 in Wiesbaden bei einer ihrer eigenen Ausstellungen schließlich persönlich kennenlernt, als er ihr bei der Rahmung ihrer Werke behilflich ist. Sie ist es auch, die ihm in seinen dunkelsten Stunden zur Seite steht. In dem Jahr nämlich, in dem er mit der Diagnose *Arthritis deformens* konfrontiert ist und erste Lähmungserscheinungen an Händen und Kniegelenken auftreten. Zu einem Zeitpunkt, als höchste finanzielle Not besteht, weil seine Bilderverkäufe gen Null tendieren, gibt sie 1929 den Anstoß zur Gründung der *Vereinigung der Freunde der Kunst Alexej von Jawlenskys*. Der Verein sichert ihm zwar kein üppiges, aber doch ein verlässliches Einkommen. Hanna Bekker geht es allerdings auch mehr darum, dem von ihr verehrten Maler, wie es in der Satzung der Vereinigung festgeschrieben wird, „seine Schaffensmöglichkeit und seine Schaffensfreudigkeit zu erhalten, und so nicht nur dem Künstler selbst, sondern allem voran auch der Kunst und unserer Kultur zu dienen." Sie spricht Jawlensky nicht nur Mut zu, sondern verhilft ihm, den die tödliche Krankheit ans Bett fesselt und die ihm kaum noch weite Reisen erlaubt, zum Anschluss an viele bei ihr verkehrende Künstlerkollegen – etwa zu Erich Heckel, Ludwig Meidner, Ernst-Wilhelm Nay oder Karl Schmidt-Rottluff. Bei der anderen Frau, die für den Künstler in seinen letzten Lebensjahren hervorzuheben ist, handelt es sich um die Innenarchitektin und Malerin Lisa Kümmel (1897–1944). Er lernt sie, wie er selbst berichtet, 1927 kennen: „Eine Künstlerin, mit welcher ich seitdem sehr befreundet bin und welche mir geholfen hat, mein Werk in Ordnung zu bringen, und die auch meine Kunst sehr gut versteht." Sie übernimmt viele seiner organisatorischen Aufgaben, viel wichtiger für die Nachwelt aber ist, dass sie darüber hinaus eine erste Werkliste mit Jawlensky erstellt und er ihr das Vertrauen entgegenbringt, ihr 1937 seine *Lebenserinnerungen* zu diktieren.

DER VERZÖGERTE ERFOLG IN AMERIKA

Wie kann es sein, dass Legenden wie Kirk Douglas, Greta Garbo, Rod Steiger oder Billy Wilder im fernen Hollywood Gemälde von dem in Wiesbaden lebenden russischen Maler Alexej von Jawlensky erwerben und wertschätzen? Oder, dass in dem sehr gut recherchierten, 1991 gedrehten Kinofilm *Barton Fink*, dessen Plot von den Coen-

Galka Scheyer und die „Propheten der Blauen Vier" (Feininger, Kandinsky, Klee, Jawlensky) im *San Francisco Examiner* im November 1925

THE SAN FRANCISCO EXAMINER: SUNDAY, NOVEMBER 1, 1925

PROPHETESS OF "THE BLUE FOUR"

MME. SCHEYER, THE BLUE FOUR AND THEIR ART

Brüdern im Hollywood der 1940er-Jahre angesiedelt wurde, in einer Büroszene zwei in Wiesbaden gemalte *Abstrakte Köpfe* Jawlenskys zu sehen sind? Eines ist klar: Von den späten 1930er- bis in die 1960er-Jahre hinein ist es dort schlicht ‚in', einen Jawlensky zu besitzen. Doch wie kommt es dazu?

Herr Jawlenski, ich kann nicht Deutsch schreiben oder sprechen, aber ich bin sehr freudig, weil ich habe eines Ihrer Bilder gekauft: Jetzt ist es in mir. Ich schreibe Musik. Sie sind mein Lehrer. Ich will mehr schreiben aber ich kann nicht geben auf Deutsch alles was ich will.

John Cage aus Hollywood an Alexej von Jawlensky

Erklären lässt sich ein solcher Erfolg allein durch die Umtriebigkeit seiner Freundin und Kunsthändlerin Galka Scheyer. Viele Kunsthändler wie J. B. Neumann oder Ferdinand Möller aus Berlin eröffnen aufgrund der prekären wirtschaftlichen Lage Deutschlands in New York Zweiggalerien, um an die harte Währung des amerikanischen Dollar zu kommen. Auch Galka Scheyer, deren Umsätze in jenen Tagen der Weltwirtschaftskrise empfindlich zurückgehen, stellt diesbezüglich Überlegungen an. Ihr gelingt es, die Weimarer Bauhauslehrer Lyonel Feininger, Wassily Kandinsky und Paul Klee gemeinsam mit Jawlensky in Amerika zu vermarkten. In der Zeitschrift *Cicerone* wird Ende April 1924 vermeldet: „Unter dem Titel ‚Die Blaue Vier' haben sich die Künstler Feininger, Jawlenski, Kandinsky und Klee vereinigt, um in Nordamerika mit einer Auswahl wichtigster Werke auf die Jugend einzuwirken. Zu diesem Zweck wird E. E. Scheyer einer Einladung des Smith College, Northampton, Massachusetts Folge leisten, um daselbst Vorträge zu halten, Ausstellungen der Blauen Vier zu veranstalten und in dieser Weise auch in anderen Universitäten der Jugend Amerikas diese Kunst zu vermitteln." Im Februar 1925 findet die erste Ausstellung der in Erinnerung an den Blauen Reiter benannten Gruppe in New York statt. Bis zum Tod Galka Scheyers im Jahr 1945 sind es

Große Meditation – Verhaltene Glut, 1936, Öl auf Malpapier, 25,3 × 17,4 cm

insgesamt 40 zur Blauen Vier, zuzüglich elf Einzelausstellungen Jawlenskys, die sie in Los Angeles und anderen Städten Amerikas ausrichtet. Dennoch kann Scheyer ihre große Hoffnung nicht in die Tat umsetzen, die zahlungskräftigen Filmstars als Sammler von Jawlensky-Bildern zu gewinnen. Lediglich der Komponist John Cage kauft direkt bei ihr, alle anderen erwerben ihre Gemälde erst nach ihrem Tod oder aus anderen Quellen.

Großes Stillleben – Azaleen (Blaugrüner Klang), 1936, Öl auf Leinwand, 22,3 × 18,2 cm

Auch wenn ihr Tun in dieser Hinsicht zunächst glücklos bleibt, so ist es doch allein ihr zu verdanken, dass die Kunst Jawlenskys über die Kunstzentren Chicago, Los Angeles, New York oder San Francisco tatsächlich die junge nachfolgende amerikanische Künstlergeneration erreicht. Und eigentlich kann es nicht wirklich verwundern, nimmt man sich einmal die Zeit, sich auf die *Große Meditation – Verhaltene Glut* einzulassen oder das kleine Azaleenstöckchen länger zu betrachten. So steht einem doch gleich bei der verhalten glühenden Meditation die kontemplative Kunst Mark Rothkos (1903–1970) und im Falle des aus den Primärfarben Rot, Gelb und Blau aufgebauten Stilllebens das berühmte Gemälde *Who's afraid of Red, Yellow and Blue* von Barnett Newman (1905–1970) vor Augen.

Ein europäisches Künstlerleben klingt aus

Doch zurück nach Wiesbaden – zu Jawlenskys letzten Lebensjahren in einem zunehmend ausländer- und judenfeindlichen totalitären Deutschland. Im Zuge der Machtergreifung der Nationalsozialisten im Januar 1933 wird auch ihm Ausstellungsverbot erteilt. Zudem werden 1937 seine Bilder aus den öffentlichen Museen entfernt. Wie vielen anderen Künstlern ist damit auch ihm die Lebensgrundlage entzogen. In diesen vier Jahren aber gelingt es dem inzwischen schwerkranken Jawlensky – allen Hindernissen zum Trotz oder gerade wegen ihnen –, in größter Abgeschiedenheit und in einem Akt beispielloser Willenskraft mit über 1000 etwa postkartengroßen Werken die ergreifendste seiner Serien zu schaffen: die sogenannten *Meditationen*. Das Berührende an ihnen ist, dass sie direkt mit seinem

Alexej von Jawlensky in seinem Wiesbadener Atelier, 1934

Ich arbeite mit der ganzen Kraft [...] es könnte sein, dass ich bald nicht mehr arbeiten kann. Das ist dann das Ende.

Alexej von Jawlensky an Wassily Kandinsky, April 1937

Lebensende in Zusammenhang stehen und uns seine tief reichende Lebenserkenntnis vor Augen zu führen vermögen.

Wenn Jawlensky nun zwischen 1933 und 1934 die in seinen *Abstrakten Köpfen* gefundene Idealform des Daseins – das optimale Zusammenspiel von Körper und Geist – aufgibt, indem er nach und nach in den *Meditationen* das konstruktiv-geometrische ‚Skelett' dieser Werke verschwinden lässt, hängt dies auch mit seinen am eigenen Leib gemachten Erfahrungen zusammen. Denn nicht ohne Grund ist eine der ersten *Meditationen* aus dem Jahr 1934 mit dem Untertitel *Erinnerung an meine kranken Hände* benannt (Abb. Seite 90). Ihm ist demnach sehr bewusst, dass ihm bald der endgültige Kontrollverlust über seinen Körper bevorsteht. In einem Brief an Emil Nolde beschreibt der Künstler seine eingeschränkte Lebenssituation, die unmittelbaren Ausdruck in seiner Kunst findet, dann auch sehr eindringlich mit eigenen Worten: „Ich lebe die ganze Zeit nur in meinem Zimmer, komme nirgends hin, kann nicht gehen, sitze vor der Staffelei, die Palette auf den Knien, Pinsel haltend mit zwei Händen und arbeite mit brennendem Gefühl diese kleinen Bildchen und auch etwas größere, ich meditiere, es ist wie ein Gebet. Ich leide sehr, wenn ich arbeite, meine Ellbogen und Hände schmerzen unendlich, bin oft erschöpft und sitze mit Pinsel in Hand, halb ohnmächtig. Und ich

Meditation – Erinnerung an meine kranken Hände, 1934, Öl auf Malpapier, 20 × 16 cm

arbeite den ganzen Tag und niemand versteht, was ich male. Traurig, aber das ist mein Leben."

Durch das kleine Format der Bilder zwingt uns der Künstler, näher an diese als moderne Ikonen des 20. Jahrhunderts bekannten Arbeiten heranzutreten. Die stets geschlossenen Augen, denen wir uns dann vis-à-vis direkt gegenübersehen, der gleichmäßige Takt des ruhig gezogenen Pinselstrichs, mit dem der Künstler sein eigenes Ein- und Ausatmen sowie den Rhythmus seines Herzschlags in die Bilder einbringt, und die dunkle, in uns sonor nachhallende Farbigkeit lassen die Grenze zwischen uns und diesen durch und durch meditativen Bildern verschwimmen. Gänzlich verschwunden ist das stabile konstruktive Gerüst, übrig geblieben ist allein die glühende Farbe, die den Geist – die Seele des Menschen – aufnimmt. Dass sich der Mensch am Ende seines Lebens auflöst und nach einem kurzen Augenblick angestrahlt im Hellen zurück in die Dunkelheit des ewigen Urgrundes eintaucht, als ob man ausglüht, das deutet Jawlensky in einem seiner letzten Briefe an seine Freundin Galka Scheyer an. Hier erklärt er diese im ersten Moment so unverständlich wirkenden späten Werke: „Ich arbeite sehr viel und so intensiv [...]. Ich habe aber keine Erlebnisse und darum male ich nur das, was in meiner Seele ist, was tief in mir liegt, wie eine Meditation, in sich Konzentrierung. Und meine Sprache ist Farbe [...]. Die Bilder sind meistens dunkel, aber das ist mir sehr lieb. Die Farben sind so geheimnisvoll, so tief; aber es gibt auch sehr farbig leuchtende, brennende, aber immer irgendwo aus anderer Welt."

In diesen stillen, sehr privat-religiösen Arbeiten, in welchen der Künstler sein Lebenswerk nicht nur konzentriert zusammenfasst, sondern auch bewusst abschließt, gelingt es dem geistig völlig gesunden Jawlensky, seinen individuell wahrgenommenen körperlichen Verfall unpathetisch ins Allgemeine zu transferieren. Gleichzeitig vermittelt er uns, die wir uns noch längst nicht in dieser Lebenssituation der Auflösung wähnen, eine erste beunruhigende Ahnung davon. Alexej von

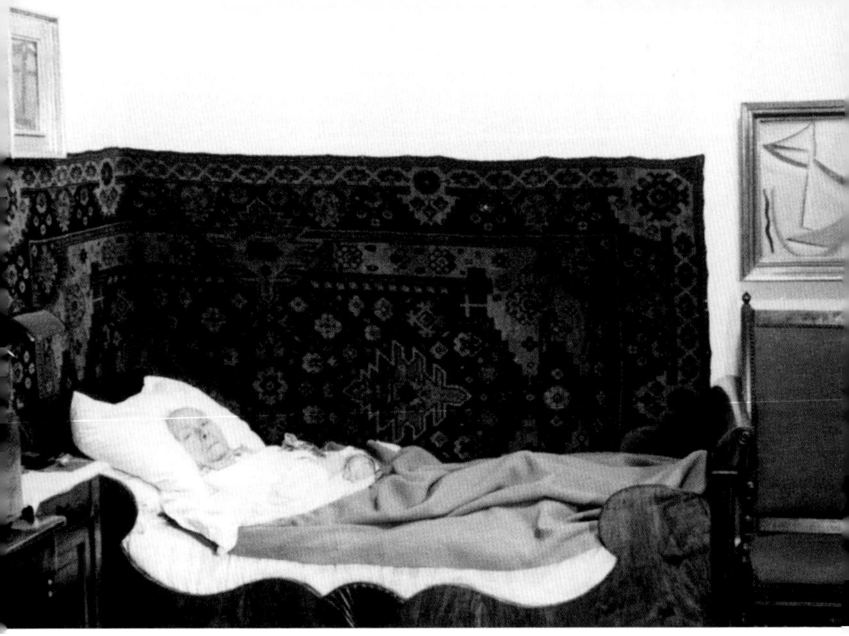

Alexej von Jawlensky in seinem Krankenbett in Wiesbaden, aufgenommen am 11. März 1939

Jawlenskys schmerzliche Erkenntnis am Ende seines Lebens ist es, wie ein Titel einer *Meditation* von 1935 verrät, dass wohl nur sein „Geist weiterleben" werde (Abb. Seite 94). Sein Trost ist, dass er in einer anderen Daseinsform – und sei es nur in seiner Kunst – weiterexistieren wird.

In dem Jahr, in dem Jawlensky die Serie der *Meditationen* aufgrund seiner körperlichen Einschränkungen schließlich aufgibt, unternimmt er unter größten Anstrengungen eine letzte größere Reise. Sie führt den inzwischen an den Rollstuhl gefesselten Maler 1937 nach München, wo er mit seinem Freund Adolf Erbslöh die Ausstellung *Entartete Kunst* besucht. Wie sehr es Jawlensky im Innersten getroffen haben mag, nicht nur seine eigene Kunst – er ist mit zwei Gemälden und mehreren Papierarbeiten vertreten –, sondern auch die seiner lieben Freunde und Weggefährten an den Pranger gestellt zu sehen, ist für uns wohl nicht nachzuvollziehen. Es muss ein schwerer Gang durch die Räume in den Münchner Hofgartenarkaden gewesen sein.

Selbstbildnis im Rasierspiegel, 1938, Bleistift, 27,8 × 20,7 cm

Die letzten zarten Bleistiftzeichnungen vor seiner vollständigen Lähmung sind im Januar 1938 unter größten Mühen entstanden. Darunter ist ein Blick in den Rasierspiegel, der einen tieftraurigen, enttäuschten und vor allem unverstandenen Künstler zeigt. Jawlensky stirbt am 15. März 1941 in Wiesbaden, wo er an einem heiteren Frühlingstag auf dem russisch-orthodoxen Friedhof beigesetzt wird.

EINE ERINNERUNG AN JAWLENSKY

Im Gedächtnis bleibt diese durch und durch europäische Künstlerpersönlichkeit, die der Kunstgeschichte so viel geben konnte, aber glücklicherweise anders. Elisabeth Erdmann-Macke kennt den aus Russland stammenden, in Deutschland und der Schweiz lebenden sowie durch Frankreich geprägten Jawlensky über ihren Mann August Macke schon seit den Münchner Vorkriegsjahren und trifft ihn später zwischen den Kriegen in Berlin wieder. Einfühlsam berichtet sie in ihren Memoiren über den Maler: „Jawlensky selbst war ein ungemein sympathischer Mensch voll Güte und Zartheit, ein vollendeter Kavalier, früherer Offizier mit viel alter Tradition. Ich sehe ihn heute noch

Meditation – Mein Geist wird weiterleben, 1935, Öl auf Malpapier, 20 × 15 cm

den Tee eingießen und seine Gäste betreuen und uns seine große Sammlung von alten Glasbildern, die eine ganz Wand seines Ateliers bedeckten, zeigen [...] Jawlensky sah ich achtzehn Jahre später wieder, als er aus Anlaß einer Ausstellung – ‚Die Blaue Vier' bei Möller – nach Berlin gekommen war. Inzwischen war er ein schwerkranker Mann geworden. Als ich zu ihm ging strahlten seine Augen, das Herz ging ihm auf in Erinnerung an vergangene glückliche Zeiten. Er hatte noch seinen alten Charme und seine zarte Ritterlichkeit und den gütigen Humor wie vor Jahren und drückte mir beide Hände."

Konzeption der kleinen Reihe
Martina Padberg

Redaktion
Doris Hansmann

Verlagskoordination
Saskia Gehlen

Lektorat
Petra Leineweber

Grafik und Satz
Christian Padberg

Gesamtherstellung
Wienand Verlag, Köln
www.wienand-verlag.de

ISBN 978-3-86832-210-286-6

Umschlagabbildungen
Einband: *Selbstbildnis*, 1912
Vorsatz: *Stillleben mit bunter Decke*, 1910
Hinterer Vorsatz: *Blaue Berge (Landschaft mit gelbem Schornstein)*, 1912

Gedruckt mit freundlicher Unterstützung der Stiftung für Buch & Kunst

Bibliografische Information der Deutschen Nationalbibliothek
Die Deutsche Nationalbibliothek verzeichnet diese Publikation in der Deutschen Nationalbibliografie; detaillierte bibliografische Daten sind im Internet über http://dnb.de abrufbar.

Fotonachweis
© bpk/ Sprengel Museum Hannover / Michael Herling / Aline Gwose: S. 60
Gabriele Münter- und Johannes Eichner-Stiftung, München: S. 46, S. 51
Kunstmuseum Basel/Stiftung Im Obersteg: S. 13
Stadtarchiv München: S. 18
Städtische Galerie im Lenbachhaus, München: S. 35, S. 38, S. 48, S. 50
Stiftung Saarländischer Kulturbesitz, Saarbrücken: S. 26

Alle anderen Abbildungen
© Alexej von Jawlensky-Archiv S.A., Locarno und Museum Wiesbaden

WIENAND^S KLEINE REIHE DER KÜNSTLER-BIOGRAFIEN

96 Seiten
12,95 €

OTTO DIX
978-3-86832-571-3

MAX ERNST
978-3-86832-539-3

CASPAR DAVID FRIEDRICH
978-3-86832-792-2

ERNST LUDWIG KIRCHNER
978-3-86832-389-4

GUSTAV KLIMT
978-3-86832-387-0

KÄTHE KOLLWITZ
978-3-86832-285-9

WILHELM LEHMBRUCK
978-3-86832-388-7

MAX LIEBERMANN
978-3-86832-373-3

AUGUST MACKE
978-3-86832-208-8

PAULA MODERSOHN BECKER
978-3-86832-210-1

AMEDEO MODIGLIANI
978-3-86832-574-4

EDVARD MUNCH
978-3-86832-598-0

GABRIELE MÜNTER
978-3-86832-372-6

EMIL NOLDE
978-3-86832-572-0

CHRISTIAN SCHAD
978-3-86832-573-7

EGON SCHIELE
978-3-86832-374-0

MAX SLEVOGT
978-3-86832-442-6

FRIEDRICH VORDEMBERGE-GILDEWART
978-3-86832-774-8

MARIANNE WEREFKIN
978-3-86832-540-9